国家出版基金项目
NATIONAL PUBLICATION FOUNDATION

《三联经典文库》

第二辑

2012 年国家出版基金项目

三联经典文库

156

中国史学之进化

周谷城 著

生活·讀書·新知 三联书店

图书在版编目(CIP)数据

中国史学之进化 / 周谷城著. -- 北京 : 生活·读书·新知三联书店, 2014.1
(三联经典文库第二辑)
ISBN 978-7-108-04594-2

Ⅰ. ①中… Ⅱ. ①周… Ⅲ. ①史学－研究－中国 Ⅳ. ①K092

中国版本图书馆CIP数据核字(2013)第152222号

156 中国史学之进化

责任编辑 曹明明
封扉设计 蔡立国
责任印制 常宁强
出版发行 生活·读书·新知 三联书店
(北京市东城区美术馆东街22号)
邮　　编 100010
经　　销 新华书店
印　　刷 北京鹏润伟业印刷有限公司
版　　次 2014年1月北京第1版　2014年1月北京第1次印刷
开　　本 787毫米×1092毫米 1/32　印张 5.25
字　　数 69千字
定　　价 19.00元

《三联经典文库》出版缘起

适逢生活·读书·新知三联书店八十华诞，为弘扬传统，接续文脉，回报读者，服务社会，我们决定策划出版《三联经典文库》。

1932 年 7 月，生活书店在上海创办，此后，读书出版社和新知书店相继成立。本文库第一辑、第二辑所选图书，来自于这三家出版单位及其分支机构，以及 1948 年生活·读书·新知三联书店成立后的出版物，始于 1932 年，截至 1951 年，两辑各一百种。此为第二辑，涉及政治、经济、社会、军事、思想文化诸领域，涵盖专著、文集、散文、小说、诗歌、传记、报道等体裁，既有直面现实、追求真理、讴歌真善美、抨击假恶丑的原创作品，又有引介世界各国先进文化、传播新知、开启民智的迻译之作，真实记录了那一代知识分子的思考与探索、理想与愿景和对中华民族文化传承与创新所做出的努力与贡献。

本文库所辑入各书，多为名家名作，在版本方面，以初版一印本或经著译编者审定、修订、增订过的版本为首选，因此本文库又具有较为珍贵的版本价值和收藏价值。

本文库还将编选续辑，使之成为恢弘文化工程。诚挚希望读者给予批评和指正，帮助我们完善编选工作，再现三联经典作品之风采。殊为遗憾的是，由于年代久远，一些原著译编者及其后人未能取得联系并奉付稿酬，诚盼版权所有者与我们联系。祈愿三联前辈所创造的精神财富能薪火相传，为中华文化的伟大复兴增光添彩。

《三联经典文库》编辑委员会

2013 年 8 月

凡　例

一、本文库为重排本，由繁体字竖排版改为简体字横排版。

一、以忠实于原作、整旧如旧为编辑原则，对当时使用的专有名词、外文译名，以及民国时期的语言和特色予以保留。

一、原书注释如旧，编者所出的注释，均以“编者注”标明，以示与原书注释的区别。

一、对原书残缺或字迹漫漶之处，以□示代。

一、对繁简文本转换时的“如右”、“见左”一类，对应改为“如上（前）”、“见下（后）”。

一、对原书中各种错讹脱衍之处，直接订正，不再以其他符号标示。

一、对数字、标点符号的用法，在不损害原文语义的情况下，做必要的规范。

一、本文库各书均前插原书书影、原书版权页和文库版“本书出版说明”。

一、本书出版说明的撰写，以客观中立为原则，扼要介绍本书的内容、版本流转、著译编者的情况。

本书出版说明

本书以作者1944年所发表《中国史学之进化》的文章题目为书名，阐述了史学和历史的区别、从史书到史学的发展、史学的独立演化等内容，将历史是独立的马克思唯物主义史观贯穿文中。除此之外，又收录了介评冯友兰、熊十力、格鲁塞和斯坦因的文章五篇，另前加建设的文化工作论，后补谈论历史和人生的文章一篇，内容丰富。

本书于1947年12月由生活书店初版。1989年上海书店编纂《民国丛书》时将其收录其中。此次出版，即以1947年初版本为底本。

周谷城（1898-1996），湖南省益阳县人。1921年以后曾执教于湖南省立第一师范学校、湖南自修大学和船山学社。大革命时期，参加农民运动，曾任湖南省农民协会顾问等职。1927年以后，陆续任教于暨南大学附中、中国公学、中山大学。1932年开始任教于暨南大学，并为史社系主任。1942年以后，执教于复旦大学，积极参加民主运动。1949年9月，作为无党派人士参加中国人民政治协商会议第一届全体会议。1952年，加入中国农工民主党。是建国之后复旦大学首位教务长。著有《生活系统》、《中国教育小史》、《中国社会之结构》、《农村社会新论》、《中国通史》、《世界通史》等书。译有《文化之出路》、《苏联的新教育》等。

生活·读书·新知三联书店

2013年8月

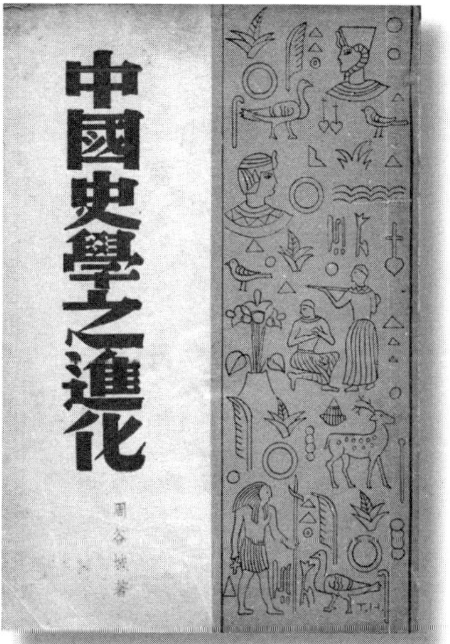

生活书店 1947 年 12 月初版书影

中國史學之進化

基本定價國幣肆元肆角

•外埠酌加郵運費•

著者　周谷城

發行人　徐伯昕

發行所　生活書店　香港大道中五四號　上海•星加坡

特約經售處　聯營書店　重慶•漢口

中華民國三十六年二月初版

(146) H. 1—1000　　港2.4

原书版权页

目次

建设的文化工作论

今日国人常言复兴中国文化，实则中国文化并未完全中断，不必专言复兴；而整理补充，发扬光大等工作，则诚为当务之急，尤其发达科学精神为万不可缓。

（一）何言中国文化并未完全中断？盖国人今日之文化生活，多为中国固有文化所凝成，而有事实可以作证者。例如文化之最高表现，当不外宗教艺术等等。中国境内，与宗教相当之物，厥为尊天敬祖；而今日尊天敬祖之习惯，固未稍动摇也。艺术所包，有建筑，雕刻，图画，音乐，文学等等；凡此等等，亦并未完全为西方艺术所代替。例如民间建筑之寺院，庵堂，宗祠，神庙等，其式样姑无论往日从何处传来，而今日所流行者，实是早在中国流行之旧样；最近居宅式样或多弃旧从新，然此又国人所应当欢迎者。雕刻一事亦复如此，其附于建筑而表现者，亦完全为往日传下之旧样，若佛像之刻于中国北部天然岩石上者，更是原来之旧物！此亦中国境内文化表现之一端色。他如音乐，古代贵族间所盛行者，今日或不易复见于民间；但今日民间所流行，而含有若干音乐意味者，并未完全为西洋音乐所代替，锣鼓箫笛一类之势力，仍较钢琴凡瓦林一类之势力为优。只文学方面情形稍稍不同：新式小说及戏剧本子颇有势力，不过旧式小说及戏剧之势力亦未稍衰；至于旧式诗词等，更非新体诗所能压倒。此外思想习惯等等之足以构成国民文化生活者，亦未见完全为机械文明所淹没而不能彰，就此等等而言，中国文化非独未见中断，且其势力亦殊可观；今日国人之生活，固皆直接或间接受其陶铸者。

（二）虽然旧有文化之势力固甚坚强，但因其为旧有，为往日传下之旧物，或不足以应中国现代化之需；则整理补充，使其本身亦现代化，转成急务。近人有云：“中国思想，仅有中世的，而无近代的。”近代的且无，则现代的当更未有。此不独思想一端为然，即文化之各项成分，亦莫不然。易词而言，今日国内流行而有势力之文化，多为中世传下之旧物；如欲使其与中国之现代化运动相配合，或成为现代化的中国文化之内容，则其本身，非从速加以整理补充，而亦使之现代化不可。且就旧有之典籍而言，有所谓甲乙丙丁，或经史子集等四部，四部固亟待整理者。倘将四部原封陈列于图书馆，或私人住宅中，则不唯不能推动中国之现代化，且亦不能构成现代化的中国文化之内容。原封之四部，往日学人以读书为业者，或可终身寝馈于其中，且能享受其中之乐趣。现代化的中国，自不至再有此类读书人也。故四部须一律化成史料，以为各种专门史之资。各种专门史如依科学方法著成之，固现代化的中国文化之绝好内容也。且固有文化而亦现代化，实亦整个中国现代化的工作之一部门。

（三）虽然，固有文化之现代化，可为整个中国现代化的工作之一部门；但整个中国之现代化，其工作固仍别有所在。果何在者？曰：加速完成中国之产业革命是也。产业革命之基本意义，厥为于生产上以机器代手工；以机器代手工之基本变革，即产业革命之基本意义。依基本变革而生之种种变动，如国民经济生活之改善，政治生活之改善，文化生活之改善，以及一切精神生活之改善，概为整个中国现代化之所必经。基本变革之促成，或各种生活之改善，皆非有现代科学以为工具不可。至是吾人应断言一句曰：发展科学实为推进中国现代化之最大工程。此一工程之进行，可举四端以为例：一曰国中已有之科学，姑无论为自创者，抑或自国外输入者，务必从教育中作最大之宣传，必期受有高等教育之人才，皆可运用科学以推进中国之现代化；二曰奖励科学之发明，使创造精神在中国活跃；三曰加速介绍别国早已成科之专门科学；四曰普及科学教育，使国人皆具科学头脑，国人固不必人人皆为科学家，但具有科学头脑之人，对现代化的中国之新生活，当较易于接收。凡此皆实际之工作，非空言所能奏效者。

（四）发达科学精神，推进科学教育，创造自己之科学，吸收他人之科学，皆所以推动中国之现代化者。但在现代之过程中，国内专家及学者，尚有一种工作，颇可以提高国家之地位，从而丰富世界文化之内容者。工作为何？曰：对外宣扬是也。最近过去，中国之古代铜器，玉器，瓷器，图画等等，曾运到国外，以供展览，结果颇为优良，西人近来之重视中国文化，较往日为有加，未尝不以此为媒介。但此仅为宣扬之一端。西方教士来中国传教者亦常震于中国文化内容之丰富，择要译成西文，以向西方传播，此最为可取者；但西人为此，或不免于隔膜，因之常有错误。国人于此，最宜作有计划之进行：一方面取他人之所已作者加以检讨，订其违失；另一方面则自择足以代表中国固有文化之旧籍，大肆移译，以飨世人。中国今日对世界文化如有贡献者，此当为一大端。再者外人在中国之考古工作，近颇发达，著作亦多；但失实之处，在所不免；取其著作而以批评态度研究之，亦学者所应为之事。

综括言之，认取中国文化之传统势力，加速文化本身之现代化，竭全力促进科学，并以科学教育普及于国人，同时对国外宣传中国固有文化，以供世人抉择；皆建设的文化工作之大端也。兹陈鄙意于此，望国人留意及之。

评冯友兰氏之《新理学》

冯友兰先生之重要著作为《新理学》,《新理学》中,“理”实为其根本要义。我对于他所讲的这个根本要义,认为尚有许多困难不易讲通之处,兹分三点约略说说:一,理及样本说之大意;二,理样本说之困难;三,理样本说之地位。

(一)何谓理?冯先生自己说:理是“无所在而有”的东西。无所在,即不在任何时及任何方的意思:既不在时间之某一段,也不在空间之某一方;既不占空间的一个地位也不占时间的一段历史。我们平常所有的东西,只要是一件东西,无论它的寿命如何短,也无论它的体积如何小,都是要在时间上占一段,要在空间里占一处的。某种微生物,要几千倍的显微镜,才能看得见;但只要它是存在的,它虽小,仍须在空间里占一地盘。这种微生物活着的时间，或为一秒钟的几千分之一；但只要它是可称为存在的，它所历的时间虽短，它在时间上，仍须有一段历史。冯先生所讲的理，其存在不是这样的，它乃是超时空的：既不在时间上，也不在空间中；换言之，即无所在。就常识讲，凡不在任何时及任何地的东西，应该是不存在的东西；但理不是这样的；它是“无所在而有”的，“有”即存在的意思，故理是无所在而仍存在的东西。这是我们应知道的一事。

其次，理是物之所依：凡存在之物，必依照理，才能成就。否则不能成就。弓有弓之理，矢有矢之理，桌子有桌子之理，飞机有飞机之理；凡此等理，即此等物所依照，以成就其自身的。打个譬喻，理有如一张样本，物是依照这样本成就的。我小时写字，常由先生作一样本，我将白纸套在样本上，依样写之；写完之后，将样本抽去，我依样写出的字，也居然像字。冯先生所谓理与物之关系，单就“依照”之义而言，颇与此相类，故我称之为理样本说。照理样本说的主张，凡物皆必有其依照之理：只要是存在的东西，都必须先有一个理在，以为其样本。这是第二点。

依照云云，本来就是理与物之关系。但冯先生于理与物之关系，仍有极明确之规定。他说：理之于物，可规定之，而不能在之；即理可以规定物，而不能跑到物里面去的意思。其次，物之于理，可依照之，而不能有之，即物可依照理，但不能据理以为己有；换言之，即物虽依理而成，但其自身并没有理。这是第三点。又其次，理先物而存在，后物而不灭。譬如飞机，是最近的产物，但飞机之理是老早就存在的；飞机毁了，其理则长住不灭。这是第四点。

（二）理样本说的大意，约略如此；现在我们且进而指出其困难之所在。理样本说之困难，可从两方面言之：一，理之本源的方面；二，理之所在的方面。

就理之本源的方面言，有一不易解答之问题：即理的自身，是否也需要一种另外的理，以为样本，以为其自身的规定。这一问题，无论从正面解答，抑从反面解答，都有很大的难关。试从反面作解答：

（1）谓理是超时空的，是无所在的；无所在的东西，即不必再有理以为样本，以为其自身的规定。但这个解答，最哲学的哲学不能采用；最哲学的哲学之所谓理，是无所在而“有”的，有即存在，存在即是东西，是东西就必有理，以为样本，以为其自身的规定。

（2）冯先生于此，或者可以说，存在的东西应分为两类：一为抽象的存在，一为具体的存在；理为抽象的存在，物为具体的存在；抽象的存在之理，不必再有理以为样本，以为其自身的规定。唯具体存在之物，必须有另外之理，以为样本，以为其自身的规定。但这样说法，是唯物论的旧说。唯物论所说之理，是以物的存在为条件的：最哲学的哲学所说之理，如果也以具体存在之物为条件，则不免堕入唯物论的老窠臼里。

从反面作解答，既有困难，无妨再从正面解答之。但从正面解答，困难亦复不少。

（3）从正面解答，即谓：理的自身既是存在的东西，则虽是抽象的，仍必有另外之理，以为样本，以为其自身的规定。这一点，冯先生应该承认；否则最哲学的哲学中所常提及的“大全”，即不能成立。大全当是在个别的理之上者，常是与个别的理直接或间接发生规定作用者。

（4）不过承认了这一点，问题反而额外的麻烦。如桌子所以为桌子之理，既是一件东西，其上当更有一理，以为样本，以为其自身的规定；飞机所以为飞机之理，既是一件东西，其上亦当更有一理，以为样本，以为其自身的规定。而且每个“更有的一理”之上，仍必更有一理。如是则问题为不可决。

（5）如硬要解决这一问题，则须有一绝对独立，至高无上之理，俨然若理之大王；其自身为样本，但不须另外之样本；其自身能规定一切，但不是被规定者。最哲学的哲学中之所谓大全，似与此绝对独立，至高无上之理相当。但这里问题仍多。这个最高之理，若不是绝对独立，至高无上，则不能解决理上有理之纠纷；若是绝对独立，至高无上，则不能为众理所依照，或作众理之样本；换言之，亦即不态为众物所依照，或作众物之样本。

（6）何以故呢？因最高之理若不是绝对独立，至高无上，则其自身必仍是被规定者，且亦不是最后的一张样本。反之最高之理若是绝对独立，至高无上的，则其数目便只有一个。以一个理作样本，作规定者，而为万物所依照，作万物之规定；则依照云云，其式样实极含胡。依照全体乎？则万物依照一理，其式样当简单纯一至不可思议，然此与事实不相符合，盖今日所有的万物，其式样彼此并不完全相同也。依照其一部分乎？则自最高的理至于最下的物，如桌子弓矢飞机等，其间每下移一级，依照之义即打一折扣。如是桌子所依照之理，必与桌子不能全同；弓矢等所依照之理，必与弓矢等不能全同；飞机所依照之理，必与飞机不能全同。自最高至最下，每一级仅依照其上一级的一部分，最后的物所依的理必极为有限。

（7）冯先生于此，或可解释之曰：依照之义，并不是这样机械的，能规定者与所规定者本不必完全一致。不过这样解释，不能保障一物必有一物之理，不能保障桌子有桌子之理，不能保障飞机有飞机之理，反之，且开了一张方便之门：可让一理作众物之规定。至是我们且可进一层曰：桌子或亦依照飞机所依照之理，飞机或亦依照桌子所依照之理，若果如是，则依照之义，将含胡至不可以言。这种情形，在科学上是很顺的，因为科学不说一物有一物之理。它只说：一物之成，乃若干因素构成了某一种不可移易之关系。但最哲学的哲学，先已认定一物有一物之理，今竟谓一物可依其自身以外的他物之理，则依照云云，便不可通。

上所云云，系从理的本源方面，指出理样本说之难关。现在目进而从理的所在方面，指出理样本说之难关。

（8）最哲学的哲学之所谓理，系无所在而有的：其对于物，系规定之，而不能在之的。照这个说法，物的成就，固有赖于理：物的存在，实无须于理。何以故？盖理之于物，仅规定之，而不能在之也。换句话说，理只于事物成就之时，发生规定作用；但不于事物存在之时，发生支持作用。这未免太过武断。

（9）且存在之物，皆是无理之物，则一切科学便无成科之可能。如物理学，系研究物，而得理，而成科者；今谓物无理，则物理学不能成科。动物学，系研究动物，而得理，而成科者；今谓物无理，则动物学亦不能成科。其他一切科学，也都是研究其对象，而得理，而成科者；如谓物无理，则一切科学都不能成科。但事实上，今日之科学，并非于物外追求，而得理，而成科者；反之，乃就物之本身，作观察，作分析，作实验，而得理，而成科者。可见理不在物之说，实在难通。

（10）且理既不在物，则物之变化，当亦与理无关。但事实上又不尽然。最哲学的哲学之所谓理，凡有两个不同的状态：有物时，曰理之“尊严”；无物时，曰理之“无能”。尊严与无能，显然为两态也，若果如是，则物在成就的过程中时，亦即自无而趋于有之时，理亦必自无能而趋于尊严。反之，物在毁灭的过程中时，亦即自有而趋于无之时，理亦必自尊严而趋于无能。同是一理，时而自无能趋于尊严，时而自尊严趋于无能，这便是理在变化。不仅变化而已，且系依物之变而变。依物之变而变，则又堕入唯物论之旧窠臼。即退一步，谓理变系与物相应而变，并非依物而变者；但理的自身既已有变，则与物变理不变之说亦不能相容。盖最哲学的哲学主张理不变也。

（三）上所批评，颇嫌简略，然为时间所限，且止于此。至于理祥本说之地位，似徘徊于神学与玄学之间。孔德氏人类知识思想之进化为三阶段：曰神学的阶段，玄学的阶段，科学的阶段是也。假如我们即用这种分段作标志，则最哲学的哲学，实偏于神学一方面者。神或理，都是学者自己设立的，或约定的；其设立或约定之时，都出于武断。但神学之理论，似较最哲学的哲学之论为方便。神学于一次独断设立了神之后，即认神为全能的，为无所不在的；于是说理之时，觉得途途是道，极为方便。但最哲学的哲学于一次设定了理之后，不认理为全能的，且认之为无所在的；这样一来，说理之时，便觉处处有障碍，颇为不方便。

评冯友兰氏之《新原人》

一

去年我写过一篇《评冯友兰氏之哲学》的短文，发表在十一月十二日的《大公报》上；把冯先生所讲的“理”及“理依照说”略略作了一个批评。当时以为冯先生的《新理学》是最基本的著作，其他著作当是由此展开的，不必一一批评。但近来看看他的《新原人》，仍觉有可以商量之处。

《新原人》一书中，标举了四种人生境界，即自然境界，功利境界，道德境界，天地境界是也。其解释曰：“在自然境界中的人，其行为是顺才或顺习的；顺才而行，行乎其所不得不行，止乎其所不得不止；抑或顺习而行，照例行事。无论其是顺才而行，或顺习而行，他对于其所行的事的性质，并没有清楚的了解。在功利境界中的人，其行为是为利的，对于自己及利，有清楚的觉解。他的行为，事实上亦可是为他人有利，且可有大利的；但其境界是功利境界。在道德境界中的人，其行为是行义的，义与利是相反亦是相成的。求自己的利的行为，是为利的行为；求社会的利的行为，是行义的行为。在此种境界中的人，对于人之性已有觉解。在天地境界中的人，其行为是事天的。他知人不但是社会的全的一部分，而且是宇宙的全的一部分。不但对于社会，人要有贡献；即对于宇宙，人亦应有贡献。”

四种境界的意义，约略如此。又四种境界复有高低之分，复表示一种向上的发展。“所谓高低的分别，是以到某种境界所需要的人的觉解的多少为标准。其需要觉解多者其境界高，其需要觉解少者其境界低。自然境界需要最少的觉解，所以自然境界是最低的境界。功利境界高于自然境界，而低于道德境界。道德境界高于功利境界，而低于天地境界。天地境界需要最多的觉解，所以天地境界是最高的境界。上文所说的四种境界，就其高低的层次看，可以说是表示一种发展。”

冯先生的理论，大略看去，似甚圆满，然稍加考虑，则可以商量之处太多。我且摘出四端以为商量的张本：一曰取消行为的成果，并非境界的发展；二曰境界的发展，非仅系于觉解本身的一边；三曰功利与道德非两相反而不相成；四曰一切不介意，并非真自由。我所说的，如果有不近情理之处，冯先生自己或与冯先生表同情者，可以切实批评。

二

现在先从第一端讨论起。凡云发展，必是有所增加。例如由自然境界到功利境界，既是由低级向高级的发展，则后者必较前者为有所增加；否则不足言发展。这一点，冯先生是承认的，故曰："在自然境界中的人，虽亦有为自己的利的行为，但他对于自己及利，并无清楚的觉解，他不自觉他有如此的行为，亦不了解他何以有如此的行为。在功利境界中的人，对于自己及利，有清楚的觉解，他了解他的行为是怎样一回事，他自觉他有如此行为。他的行为或是求增加他自己的财产，或是求发展他自己的事业，或是求增进他自己的荣誉。他于有此种种行为时，他了解这种行为是怎样一回事，并且自觉他是有此种行为。”两两比较，显见得功利境界确较自然境界有所增加。

（1）依此而言，则道德境界亦必较功利境界有所增加，才是向上发展。但冯先生于此，忽然掉换说法，竟以减少为增加，竟以取消行为的成果为发展人生的境界！故其言曰：“在道德境界的人，其行为以行义为目的。他所以为目的者，是他的行为的意向的好；他所作的事的成功，是他的行为意向所向的好。在道德境界中的作事，其行为的意向的好，是尽伦尽职。他所作的事如成功，其行为的意向所向的好如得到，其行为的意向的好固已实现；他所作的事如失败，其行为意向所向的好如不能得到，其行为意向的好亦能实现。”行为的意向与所向，相当于普通伦理学上所谓动机与成果：在一个完全的行为之一，两者都不可缺，且都不能不好。今缺其一：仅有好动机，而无好成果；仅有意向的好，而无所向的好。无论如何，不能算为完全的行为。以不完全的行为，接于功利境界之后，而曰这是向上发展，实在令人不敢苟同。

（2）冯先生于此，或者可以说，道德的行为，以行义为目的；这目的就是行为的意向的好。行为既有目的，便不能算是不完全的行为。不过这种说法，犯了“语言重复”（借用维也纳学派的口头禅）的毛病。意向的好，只能随所向的好的实现而实现。例如饥思食，渴思饮，是意向；食而饥得充，饮而渴得止，是所向。思食思饮的意向或意向的好，如要实现，只能随充饥止渴的所向或所向的好的实现而实现。今竟谓以意向或意向的好为行为的目的，则其语言重复之处，有如所谓演演讲，作作文，抗抗战，建建国。若问结果，则话不必说出，文不必作成，抗战不必有胜利，建国不必有成功。何者？意向的好，即是行为的目的；所向的好，原不在计较之中也。依此论调，谓道德境界为功利境界以后的向上发展，其谁肯信？

（3）虽然，行义云云，在《新原人》中，除所谓实现意向的好的一个意义之外，尚有另一个意义，即所谓实现所向的好是也。实现所向的好，即以获得效果为成功，或实现社会的公利为成功。故曰：“在道德境界中的人，其行为是行义的。义与利是相反亦是相成的：求自己的利的行为，是为利的行为；求社会的利的行为，是行义的行为。”照这样讲，所谓行义，当然是很正确的真理。但前面明明说实现意向的好为行义，并不是说一定要实现所向的好才为行义。如果前面所说的行义是对的，则这里所说的行义便不对；这里所说的是对的，前面所说的便不对。谓两者的意义相反而都对，是讲不通的。

（4）或曰，单有意向的好，虽不能算为完全的行为；但意向毕竟是完全行为中不可或缺的因素，意向如果真好，仍不失为行为者的一种好处。如是则行义的两个解释，便可以并存。不过并存非即相等之谓：意向的好，只是完全的行为的一部分；必须意向所向的好能够实现，才算是一个完全行为的实现。我们若认道德境界较功利境界为向上发展的，则于两者必有所抉择。否则伪君子取意向的好以为好，可以叫做发展向上；笃实诚敬之人，除意向外，并计所向的好以为好，也只是发展向上！果如是，则世间尚有什么公道可言？

三

讨论至此，冯先生或者可以说，所谓境界的向上发展，原系就觉解的本身一方面而言，并不必计及行为的成果或功利。就功利方面讲发展，原非《新原人》的本意；若就觉解的本身方面讲境界的发展，是讲得通的。其实亦不尽然。

（1）单有觉解，并不能发展境界，或使境界向上。例如“种豆南山下，草盛豆苗稀，晨兴理荒秽，带月荷锄归”的一种境界，种豆者若觉自己在种地以谋食，那可以说是在功利境界中；若觉自己为社会的一分子，也可以说是在道德境界中；若觉自己为宇宙的一分子，更可以说是在天地境界中。但这不能说是一种境界的向上发展，只能说是三种不同的境界之选择；换言之，把自己想三次而已！这种的想法，小说家都优为之；自己不出户庭，心中可以有任何境界；而且想像所得，也可“以诚敬存之”。这样想出的道德或天地境界，如果也可以说是由功利境界向上发展而来，那不独满街都是圣人；就是一切贪官，也都可以说是廉吏。何者？盖把自己放在某种境界想一次，便可以算是某种境界中的人也。境界的发展云云，断没有这样简单容易；因此我于昔贤所谓“当下即是”一语，不当引用，也不恭维。

（2）虽然，《新原人》中所谓道德境界及天地境界的人，也并不是仅重觉解，亦复注重力行，故曰：“对于社会，人应有贡献；即对于宇宙，人亦应有贡献。”贡献云云，当不仅觉解而已。又曰：“在天地境界中的人，并不需要作些与众不同的事，他可以只作照他在社会中所有的伦职所应作的事。他作公务员，他即作为公务员者所应作底事；他作军官，他即作为军官者所应作底事。”境界不同云云，并不是抛却应作的事不作；这是我们所赞成的。但冯先生说了这些之后，随即取消其原意曰：“在天地境界中的人，自大全的观点以看事物，则知此事物之成或为彼事物之败，此事物之败或为彼事物之成。《庄子·齐物论》说：‘其分也，成也；其成也，毁也：凡物无成与毁，复通为一。’郭象注说：‘夫成毁者，生于自见而不见彼也。自见而不见彼，是见其偏而不见其全；若见其全，则见成不必只是成，败不必只是败。’他持如此看法，并不是因为他玩世不恭，而是因为他能从一较高的观点以看成败。他虽知凡物无成与毁，复通为一；而仍竭力作事，以事天赞化。因为他知大化流行是一动，人必动始能赞化。至于其动是否能得到其意向所向的好，则与其行为的意向的好的实现，是不相干的。在天地境界中的人所作的事的失败，固不足妨碍其行为的意向的好的实现，而且不足以介其意。”这种讲法，作为历史上一派病态学说的解释，我们当然不予反对；但冯先生拿来作为《新原人》的主张的注脚，我们就不得不予以严格的批评。我们今日尚没有雅量，把日寇与我们自己看为一体：我们只能要日寇毁减下去，不能让自己跟着毁灭；我们只能图自己成功，不能让日寇一道成功。我们不能从一较高的观点看成败，把日寇与我们两方面的成功与失败看为 体；更不能认抗战失败为不足介意的事情。

（3）且在自然境界中的人，对于成功与失败，原来不了解；而在天地境界中的人，对于成功与失败，虽有了解，而又丝毫无动于衷。成功与失败，在自然境界与天地境界，都不成为问题。就这一点言，道家对自然与天地两境界，分辨不清，实在不足为病；冯先生把这两境界分辨清楚了，然又随即取消其分辨；分辨取消了，仍谓天地境界是最高境界，比自然境界要高三级，这又令人不能无疑。

四

取消行为的成果，以讲境界的发展，讲不通；偏重行为者的觉解，以讲境界的发展，又讲不通。然则《新原人》的困难究竟在何处呢？

（1）曰：把功利与道德截为两端是也。把功利与道德截为两端：以为道德只重行为者的觉解或意向，不重行为的成功或所向；功利只重行为的成功或所向，不重行为者的觉解或意向。于是讲境界的向上发展时，不知不觉抑一边，扬一边：把行为者对自己的觉解，扬得与天地同大；把行为所应有的成果，抑得等于可有可无。这种见解，可于《新原人》对于“我”的解释上见之。“我”的解释，在《新原人》中，凡有两义：一曰主宰的我，二曰有私的我。主宰的我，与觉解或意向同一范围，应该扩大；有私的我，与功利或所向同一范围，应该缩小。

故其言曰:“若就有我无我说。我们可以说，就所谓我的有私之义说，在自然境界中的人不知有我，在功利境界中的人有我，在道德境界中的人无我，在天地境界中的人亦无我。……就所谓主宰之义说，在自然境界中的人无我，在功利境界中的人有我，在道德境界中的人真正的有我，在天地境界中的人亦真正的有我。”四种境界中，我则由无扩大至真正的有，私则由真正的有缩小至等于零。我即有觉解的主宰，能有意向：私即行为所获的成功，属于所向。扩大一边，取消一边，故境界终不能发展向上。

（2）如要境界真能发展向上，则自我觉解的范围固应扩大，行为成功的范围亦应扩大。自我的觉解，由小己的扩大而为社会的，更由社会的扩大而为天地的；则行为的成功，亦应由小己的扩大而为社会的，更由社会的扩大而为天地的，道德与功利，并非两不相容，实乃两两相函者。为要使行为获得具体而较大的成功，乃努力扩大自我觉解的范围，以增加道德的价值，这是可以的，而且是必需的。为要扩大自我觉解的范围以增加道德的价值，乃厌闻功利之说，甚至以行为之有无成功为丝毫不足介意，则万万不可。人家讲功利，以道德为手段；结果社会日进于文明，而道德也并未完全破产。我们讲道德，而厌闻功利；结果社会已腐烂不堪，道德亦随社会之腐化而化为乌有！这是空谈觉解之扩大或专重意向的好，忽视行为之成功或不重所向的好，必然要产生的结果。

（3）或曰：自我觉解的范围，可以扩大至与天地同等；而行为成功的范围，如欲与之俱扩，亦扩大至与天地同等；则世间那有这等奇人，能完成与天地同等的大事？关于此问，我们正好采冯先生的说明。冯先生说："在天地境界中的人，并不需要作些与众不同的事，他可以只作照他自己在社会中所有的伦职的应作的事。"这是我们同意的。至于我们不能同意的，是冯先生所谓行为的成功与失败不足介意一点。行为的成功与失败倘不足介意，则这次抗战如果失败，大家当无动于心；失败可以无动于心，则今日的抗战为不必要。我料这在冯先生自己，当亦决不以为然。

（4）或又曰：行为如果必须成功，才算具有道德价值，那么我们这次抗战中牺牲的许多英勇将士，不都成了没有道德价值的人？死守衡阳的将士已牺牲了，衡阳并未守住，道德的价值果在何处？冯先生所谓行为的成功与失败不足介意，当然包括这类极有道德价值的行为而言。这类的行为，不必有成功，然而不是无价值；所谓意向的好已实现，所向的好不一定实现；道德的价值，只在意向的好，与所向的好不相干。这种解释，我们不能同意；我们的解释，恰恰与此相反。就事实分析，这种行为之意向的好并未完全实现，而所向的好却实现了一部分。所向的好在守住衡阳，今守衡阳的人虽牺牲了，但延缓了衡阳的失陷，或少失陷几个其他的衡阳：故曰所向的好实现了一部分。至于意向的好，更在衡阳之能够守住；若自始就不打算守住衡阳，便不能算为意向的好；今衡阳竟失陷了，故曰意向的好未能完全实现。意向的好虽未完全实现，而所向的好却实现了一部分，故守衡阳的行为是有价值。

五

《新原人》中，把行为之意向与所向分割为两端：

只以意向的好为道德所必需，不认所向的好亦为道德所不能缺。于是论自由时，亦更令人不能满意。冯先生的自由论，完全从私的立场出发，一方面为进取者讲自在逍遥，另一方面为贫贱者讲安贫乐贱。

(1)兹且先言前者。冯先生以为进取者之不得自由，是受了才与命的拘束；如要摆脱这等拘束，最好是莫向功利追求。“在功利境界中的人，其行为都有自觉的目的，其目的都是求利。求利都要利之中取大，都要取大利。利之是大是小，是比较的，相对的：囊空如洗的人以得到数百元为大利；及有数百元，又以得到数千元为大利；及有数千元，又以得到数万元为大利；如是既得陇又望蜀，无论得到多么大的利，他总觉前面还有更大的利未得。他求大利，可以说是如形与影竞走：形与影竞走，形总有走不动的时候。人继续求大利，总有求不得的时候。求不得，如不是由于命穷，即是由于才尽。如是由于命穷，他感到受命的限制；如其由于才尽，他感到受才的限制。”故进取者如要寻到逍遥自在，只有放弃功利的追求。放弃功利的追求云云，就个人的逍遥自在着想，是对的；若就民族国家之生死存亡着想，则不对。例如我们反攻，收复了华中之时，还要收复华北；收复了华北之时，还要收复东北；收复了东北之时，还要收复台湾；收复了台湾之时，还要帮助朝鲜独立。我们今日士兵的体弱，或是由于才不足；我们今日缺少炼钢厂，或是由于命不好。但为民族国家着想，还是以同前奔驰，迎头赶上他人，冲破才与命的限制为好。

（2）冯先生的自由论的另一边，便是劝贫贱的人安贫乐贱。“一个人的命的好坏，影响到他在社会上所处地位的贵贱。在功利境界中的人，对于所谓贱，存清楚的觉解；他好贵而恶贱；贵则欢喜，贱则悲伤。在道德境界中的人，对于所谓贵贱，亦有清楚的觉解。但他又觉解尽伦尽职与一个人的所有的在社会中的位的贵贱，是不相干的。他在社会中，无论处什么位，都可以尽伦尽职；他的行为，以尽伦尽职为目的。所以在社会中，无论处什么位，他都以为是无关重轻的。在天地境界中的人，知其于社会的民之外，他还是天民；人爵之外，还有天爵。所以他虽对于社会上的贵贱，有清楚的觉解，但他还是大行不加，穷居不损。他并不需有意努力而始能如此。从大全的观点看，社会上的贵贱本来是不足介意的。”在社会中，无论处什么位，都可以尽伦尽职；在社会中，无论处什么位，都是无关重轻的；从大全的观点看，社会上的贵贱，本来不足介意。凡此云云，在主张维持社会阶级的人看来，是对的；在主张泯除社会阶级的人看来，则不对。在压迫并剥削他人的人看来，是对的；在反对压迫并剥削的人看来，则不对。在反对民主的人看来，是对的；在主张民主的人看来，则不对。他人为主人，自己为奴隶，何以无关重轻？他人为刀俎，自己为鱼肉，何以不足介意？

（3）就上面两者看来，冯先生的自由论，只能说是取消自由与否之问题，不能说是解决自由与否之问题。未来的成败，一切不考虑；或未来的成功，放下不追求；于是则所谓主宰的我，对自己的将来，不必有所主宰。主宰的我对自己的将来不必有所主宰，则自由与否之问题无形打消。已有的成败，一切不介意，或已有的失败，视之为固然；于是则所谓主宰的我，对自己的现在，亦不必有所主宰。主宰的我对自己的现在，不必有所主宰，则自由与否之问题亦无形打消。我们的自由论，则与此不同；我们以识得必然为自由，以实践必然为自由。历史发展的必然趋势，我们必须识得；识得此必然的趋势，努力推之前进，是我们的自由。敌人的失败与我们的成功，是必然的趋势，我们必须识得；识得此必然的趋势，努力推之前进，是我们的自由。反民主的失败与民主的成功，是必然的趋势，我们必须识得；识得此必然的趋势，努力推之前进，是我们的自由。

评熊十力氏之《新唯识论》

一

熊氏的哲学，见于商务印书馆所印行的《新唯识论》一书。《新唯识论》的要旨，首在说明纯一寂净的本体，次在说明生化不已的妙用。寂净的本体，印度的空宗讲得最透彻；生化的妙用，中国的儒家讲得最透彻。儒家非不讲体，但比较的偏重用；空宗非不讲用，但确实只重体。为使学理圆满，熊先生乃汇通儒佛，于寂净的体上加以生化的用，于是体用合一，印度的空宗，中国的儒家，汇合起来了。体用合一了，于是体外无用，用外无体；即体即用，即用即体；体是用之体，用是体之用。此外更于生化的妙用上，施设一个物理世界，或外在世界，以为科学知识的安足处，于是西方的科学在东方的哲学中似乎也有地位了。这是《新唯识论》中最要紧的意思。

不过物理世界或外在世界，熊先生始终认为是假的，不是实有的；因之他替科学所设的一个安足处，自己又一笔勾销，说非遮拨不可，或非取消不可。其言有曰："宇宙万象，唯依大用流行，而假施设。故一切物，但有假名，都非实有。"（不独现前桌子，儿子，乃至日星，大地，都是假名，而无实物。即原子，电子等等，也都不是实在的东西，也只是假名。——原注）"大用流行，虽复生灭宛然，而实汨尔空寂。……如其执有物界，又从何彻悟一真耶。故知遗相而实相斯存。（遗相，谓不计执有实物界或宇宙万象也。实相谓本体。——原注）观变而不变可悟。（变，用也。不变，体也。诚知用非实有，则无执物之迷，故乃于用而见乎体。——原注）……夫宇宙万有，本自空无。（万有，唯依大用流行之迹象而假设，本无所谓万有故。——原注）哲学家于此，犹多不悟，矧乃欲其了知大用无实，是事诚难。（无实二字吃紧。大用流行，刹那刹那，都不暂住。本无形相可求，故非实有。非实有故，即等若空无，故云非不空也。此中理趣深微，读者宜霍怀沉玩。——原注）不了用之无实，即不了神变无方。……所以本论从大用之非不空的方面来说，却是即用而见体。因此，在科学上所施设的宇宙万有，或外在世界，在玄学上，不得不遮拨。同时，玄学也要超过知识，而趣归证会”，宇宙万有，或外在世界，在玄学上，不得不遮拨云云，是我们不敢苟同的；我以为科学世界，实在不必予以遮拨；如要遮拨科学，或科学的安足处，则熊先生的整个哲学体系，都要重新加以考虑。

二

兹且不揣冒昧，提出几个要点，来和大家共同考虑考虑。首先应考虑者，熊先生谓宇宙万有是空无非实有；但从事实与理论两方面寻证，都只能证明宇宙万有是实有而非空无。（1）凡现前的桌子，儿子，乃至日星，大地，与夫原子，电子等等，都是凭感官直接或间接可以证明其为实有而非空无的。这道理太通俗了，熊先生或者不予重视。（2）熊先生之意，以为现前的桌子，儿子，乃至日星，大地，至夫原子，电子等等，都是变化的，故是空无而非实有。这种意见，与事实不符。变化与空无，并非同义的形容之字；变化的并非就是空无的。正因现前的种种都是变化的，故我们认之为实有的；唯实有的始有变化可言，若空无则不可以言变化。（3）熊先生或者可以说，变化虽不等于空无，但万有在变化之中，刹那刹那，都不暂住，既不暂住，则应是空无而非实有。这种意见，我们不能接受。刹那刹那，固然都不暂住；但前一刹那与后一刹那是相接连的，并不是有所隔而越过的。倘是有所隔而越过，则变化有时为不可能；今既先认万有常在变化之中，则必承认刹那刹那之相连不隔。刹那刹那之相连不隔，实即等于常住；因之所谓变化的万有，应是实有而非空无。（4）即退一步，承认万有是空无的而非实有的，则又与生化的妙用不相符合，或与生生不已的道理不相符合。生化云云，如果不是空洞抽象的，则必有实物以为表现之具；倘无表现之具，则是空洞抽象的。空洞抽象的生化，不足以当生化之称。因此之故，所谓宇宙万有，只能为实有，不能为空无。如查为空无，则无法显出生化的妙用。（5）生化的妙用，是中国儒家讲得最通畅的，是熊先生拿来加到印度空宗所讲的寂净的本体上的。今谓生化的妙用无法显出，则一方面固与儒家之说相违，另一方面又堕入空宗原有的窠臼。汇合儒佛的新唯识论，不应有这样的结局。

综上各点看来，科学上所施设的宇宙万有，或物理世界，或外在世界，应该是实有而非空无，亦只能是实有而不能是空无。果如是者，则科学的安足处，真个可以安足；西方的科学，不必在东方的哲学中予以遮拨了。

三

熊先生或者可以说：阐明生化的妙用，固然不能遮拨科学的安足之处，但证会寂静的本体，则非遮拨科学不可。至是我们又有另一要点，须予考虑：熊先生谓寂净的本体是实有而非空无；但从事实与理论两方面寻证，始终只能证明寂净的本体是空无而非实有。（1）现前所有的，只是森罗万有的宇宙，只是物理世界，只是外在世界，并不见有所谓纯一的寂净本体。物理世界，或外在世界中所森罗的，只是个别的，具体的，众多的东西，如桌子，几子，乃至日星，大地，与夫原子，电子等等是也；凡此等等，并不是纯一寂净的本体。（2）假令化学家可以制出某种炸弹，将电子等等炸成碎片；每一碎片之体，较电子本身可以小若干万倍，近于零而未等于零；但合起来，仍只是个别的，具体的，众多的，仍不是纯一寂净的本体。若说这些就是纯一寂净的本体，这无异于把印度的有宗当作空宗，这与新唯识论的本旨相违。（3）熊先生或者可以说：宇宙万有之中，无论何物，都可以遮拨或分解至等于零。万有等于零了，纯一寂净的本体便可得而有。但这于理为不可通。有便是有，岂可遮拨或分解至等于零？即退一步，不严守逻辑的律令，硬说万有可以遮拨或分解至等于零；但既已等于零了，便是空无所有，仍不能得纯一寂净的本体。若谓纯一寂净的本体是空无，则与新唯识论的本旨也相违。新唯识论固明明白白不满于空宗者，不认纯一寂净之本体为空无者。（4）熊先生或者以为从空无所有一极端，到森罗万有的另一极端之间，可以由想像推出一个纯一寂净的本体；且本体与妙用同在，其所在应该就在空无与万有的两极之间，只是它的状态较电子等等还要纯一，就是较今日新物理学上所讲的“波粒”，也还要纯一；同时我们也不必采印度空宗那样严格的遮拨方法，继续遮拨下去，权且让此为真正纯一寂净的本体。但这毕竟出自想像，想像的就是想像的，不能谓想像的就是实有的。虽这种想像既已限定在万有与空无的两极之间，想像所得，当然不会空无；但亦断不同于熊先生的证会所得。（5）且这样想像出来的纯一寂净的本体，其存在只有一回；自生化的妙用开始以后，森罗万有的宇宙，或物理世界，或外在世界，即已取本体的地位而代之，或完全遮盖了纯一寂净的本体。虽然此物理世界，或在外世界，自今以后，继进化的大势而推移，或亦重返于纯一寂净的本体，是本体之存在，可以有第二次。不过这也是想像的，何时始有这第二次，更非熊先生的证会所能决。且在这第一第二两次的纯一寂净之间，世人所能认取名，只是一森罗万有的物理世界，或外在世界。（6）或曰：熊先生曾反复说明体用同在，认定体即是用，用即是体，体外无用，用外无体，体是用之体，用是体之用。理论如此周密，还有什么可以批评？不过我们于此，乃有非批评不可者在。既曰体外无用，用外无体，则求本体，方法，当在综合森罗的万有，不在遮拨森罗的万有；遮拨倘能至于极端，亦不过复活印度空宗的旧说而已；倘不能至于极端，则纯一寂净的本体，且终不可得。

综上而言，所谓纯一净寂的本体，如果不是出于想像，便是空无；如果不是空无，便是出于想像。但无论如何，不是实有的。实有的只是森罗万象的物理世界，或外在世界。果如是者，则科学的安足之处，虽遮拨亦等于未遮拨，换言之，即不能遮拨而已。

四

讨论至此，最宜把体用关系之真相，略予批评。熊先生所持体用同在之说，应该是圆满无缺，可以接受的；但依其所为之解说看来，始终不能有同在之体用。(1) 熊先生于森罗万有的物理世界，或外在世界，始终予以遮拨唯恐不到极端；其目的在要得到本体。我们于此，姑无论本体能否得到；但物理世界或外在世界既已遮拨尽净了，则体与用之同在，终不可得。一则本体如能在遮拨世界之后面得到，则所存者，仅有体而无用，不能谓之体用同在；二则本体如不能在遮拨物理世界之后而得到，则体用两者都没有，更无谓体用同在。(2)或曰：熊先生所遮拨的，只是森罗万有的物理世界，或外在世界，并不是中国儒家所说的生化的妙用；于是则体用同在之说，可得完成。不过这里仍有问题：生化的妙用，如果剥去森罗万有的物理世界，则完全成了空洞而抽象的，空洞抽象的用，与出于证会所得的体，如果同在，则不免混同；于是同在之说或可完成，而体用之分转成暧昧。熊先生所谓体用之分，实在就是这样体味的：彼尝以寂净的本体为恒转，生化的妙用为翕辟。实则恒转云云，动而已；翕辟云云，剥去森罗万有的物理世界，也只是辟而已；动与动同在，实在没有多少分别可言。是故体用同在之说，到底不能完成。(3)或又为翕之动势为凝聚，凝聚则有形相出现，而成森罗万有的物理世界或外在世界；这样，则体用同在云云，便没有什么可批评的了。不过也不尽然：物理世界或外在世界之成就，熊先生又以为这是替科学施设的安足处，是虚假的，非实有的，非遮拨尽净不可。于是体用同在之不可得，正如本节(1)项所批评。(4)且物理世界或外在世界，并不是空无的，而是实有的，非从语言文字方面来遮拨即可尽净的；那么熊先生的体用同在之说纵令可以完成，而这不能遮拨尽净的物理世界或外在世界，转成赘疣，无处安插。体用之外，多余一块，成何体用？

至于我们所讲的真正的体用同在之关系，其说明另是一番。一则体之为体，只能综摄万有而构成，不能遮拨万有而另行寻觅；万有不是掩蔽本体的，而是表现本体的，故我们只能综摄万有以成体，不能遮拨万有以寻体。二则用之为用，是包括森罗万有的物理世界而言的，并非只是空洞抽象的生化之妙用；故体虽是抽象的，用则是具体的。三则抽象的体是全体，具体的用是部分；体与用之同在，无异于全体与部分之同在；体与用之有区别而不可分离，无异于全体与部分之有区别而不可分离。在这样的体用关系之中，万有是不能遮拨的。因之科学也是不能遮拨。

五

熊先生依他的哲学的体系而讲修为，修为的方法就在反本。反本的意义，消极方面，在反对逐物，反对向森罗万有的物理世界，或外在世界追逐；积极方面，在证会本体，期使生活与纯一寂净的本体相符。我们所谓本体，是综摄万有而构成的；如云反本，则必利用科学，使我们的行为能与万有间的必然关系相符合。熊先生所谓本体，是遮拨万有而觅取的；如要反本，则必遮拨科学，使我们的行为赶快退到纯一寂净的空无。这一点更是我们所要重新考虑的。

逐物的行为是如何起的？熊先生说是起于生活方面的不足，故曰“吾人生活方面，则以拘于形，而陷于相待之中，遂常常感得不足，并且不足之感极迫切。因此有一个极大的危机，就是要向外追求”。谓逐物的行为，起于生活上的不足，这是最正确的真理；但谓危机在向外追逐，不说生活的不足为最大危机，这就未免倒置因果，而与真理不符。向外逐物，是解决生活上不足之问题的，不能算是危机；生活上不足之问题不得解决，那才真正是危机之所在。熊先生把因果倒置了，故他的所谓反本，始终用不着科学，而且必须遮拨科学。科学是实用的，是解决生活上不足问题的，换言之是逐物的，是故反对逐物的必须遮拨科学。熊先生所谓反本，有几个不同的名称，如除障，如复理，如创断，是其最要者；不过名称虽有不同，意义则没有不同。除障云云，反本而已，不是逐物，不是利用科学以解决生活上不足之问题；复理云云，及本而已，不是逐物，不是利用科学以解决生活上不足之问题；创新云云，反本而已，不是逐物，不是利用科学以解决生活上不足之问题。

或曰：果如所云，则维护科学，便非逐物不可。这我们可以正言答曰：诚然诚然。科学之用只能用于逐物之中。不过逐物并非罪过，罪过在公私不分。何谓私？我的生活建在他人的牺牲上，或一部分人的生活建在另一部分人的牺牲上，这虽不是私的全部意义，但是一个最重要的意义。何谓公？我的生活建在自然物的效用上，或全人类的生活建在自然物的一切效用上，这虽不是公的全部意义，但是一个最重要的意义。行为而果徇私，或倾向于徇私，虽反本也是逐物；行为而果为公，或倾向于为公，虽逐物也是反本。因此之故，我们能利用科学，不必遮拨科学。

评格鲁赛氏《中国文化史》

本书是格氏《东方文化》四大卷中之一，原名叫《东方文化中国之部》（*The Civilizations of the East, China*），是由法文译成英文的。格鲁赛氏（René Grousset）是巴黎 Senuschi 博物院的主持人，是巴黎 Guimet 博物院的名誉主持人，对于东方文化，极感兴趣。曾著有《极东史》（*Historie de l'extrême-orient*），其中关于中国的有两篇，关于印度的有一篇，关于蒙古的有一篇，关于越南半岛的有一篇。

《东方文化》一书全部四大卷中，第一卷是讲近东及中部东方之文化的，第二卷是讲印度文化的，第三卷是讲中国文化的，第四卷是讲日本文化的。这里所介绍批评的，即第三卷，系一九三四年纽约 Alfred A.Knopf 所出 Catherine Alison Phillips 的第一次英译本。书名为《东方文化中国之部》，但内容完全是讲艺术的。艺术固然是文化，但文化却不仅限于艺术；所以就这一点看，未免有以部分代全体之嫌。不过这在西方学者之中是极寻常的事。只要内容可观，这小节实算不了什么。

全书三百六十三面，插图二百八十幅，共分为四章。

第一章为中国艺术理想之构成。所论的重要项目有：远东艺术之起源，详于史前的中国艺术；有殷周时代的艺术，详于殷代骨器上的各种铭刻及周代铜器的各种式样；有秦汉时代的艺术，详于汉代的铜器，玉器，陶器的各种图案以及雕刻等。此外有六朝的艺术及蒙古与中亚草原区的艺术。于草原区的艺术之渊源发展特性以及与六朝艺术的关系，叙述特详。

第二章为佛教对于中国艺术之影响。其着重之点有：希腊罗马（Greco-Roman）的艺术，经由中亚的佛教对中国艺术所生的影响，印度 Gupta 朝的艺术经由中亚的佛教对中国艺术所发生的影响，伊兰境内波斯 Sasanian 朝的艺术经由中亚的佛教对中国艺术所生的影响等。此外于后魏的雕刻，隋代的佛化艺术，唐代的佛化艺术及非佛化艺术如雕刻及装饰等与五代时的绘画，均有论断。

第三章为中国型的艺术之完全确立。这章所述以宋元为主，特别着重宋代“艺术思想之理智化”(intellectualization of the Chinese aesthetic ideal)。第四章述中国艺术之欣赏主义及学理研究。特别着重明清两代之艺术上的特征。

就全书的布置看，是一部很好的艺术史或艺术史论，特别引人注意的，有下列数点：(1)中国艺术之史的发展；(2)中国艺术自身的个性；(3)中国艺术所受外来的影响；(4)中国艺术之社会的解释。

格氏以为中国艺术自仰韶期以至殷商，由殷商以至周秦系循一个趋势而发展。秦以前的艺术如陶器，骨器乃至铜器上的图案，或为“云”，或为“鹰”，或为“龙”，或为“雷纹”，或为“饕餮”；而尤以周代铜器上的“饕餮”为最可注意(页一八)。饕餮之头，是明显的，而其周身分布于物器之全体，若隐若显，其所表现的，则为静止的力。这样表现静止的力的艺术，在秦时发达到了最高度，到汉朝则变了一个方向。静止的力成了活跃的形(living forms)。其中充满着运动与进行的姿态。六朝时代艺术的图案，一方面继承着汉以来的活跃的形；另一方面，因当时政治上起了剧烈的冲突，其剧烈的程度，不亚于周秦时代，故又呈表示力的姿态。其表示的方法或有不同，而力的凝练，则与周秦时极仿佛（页二八〇至二八一）。

由后魏至隋，艺术的发展上颇呈一种趋于“戈代式”（Gothic type）的。倾向隋代的艺术显然为后魏以来“戈代式”之极端的发展（页二〇一）。至于唐代则将两汉的特征为继续的发展，正如六朝将周秦的特征为继续的发展一样。不过这是指没有受外来的影响的那一部分而言。若就受了外来的影响的那一部分而言，则唐代艺术显然是两种东西的合体：一为潜在的力量，一为整齐的形式。前者是土产，是从六朝时代直接遗下的；后者是外货，是从罗马，波斯经由中亚方面的佛化间接传来的（页二二一）。

到了唐宋之际，中国的艺术发展到了一个转变的关头：艺术品本身的物质方面，发展到了终点；理智方面则新预备了一个起点。宋代的艺术品，表示作用小，而暗示作用则很强，一种艺术品，与其说是诉诸感官的，毋宁说是诉诸理智的；与其说是叫人欣赏的，毋宁说是叫人思考的。一个画家的画风景，与其说是对风景施描画，毋宁说是依思想造风景。这种诉诸理智的艺术特色，直到明清时代的陶瓷艺术才开始改观。而明清时代的中国艺术又几乎与前此各时代很少关系（页三三三）。

以上乃就中国艺术之发展而言。格氏对各时代艺术之特征，指点得非常明白，只惜我们很少恰当的字眼为作详尽的介绍。至于中国艺术自身的个性，格氏以为有一个极显明的个性，曰“神秘性”是也。这神秘性，自艺术思想开始构成之殷周时代起，至“中国型的”艺术思想完全确定的宋明时代止，无不在艺术品中保有着。例如周时的饕餮，其自身已经是一个莫明其妙的怪物；而其表现却又只露出一个令人望而生畏的头，其周身的展布，竟与其所在之器物同体。这样的东西实充满了神秘性。再如宋人的绘画，也同周人的铜器一样，亦复可以表现其神秘性。铜器的作者把饕餮的各部分为之散开，布于铜器全体，叫人望而觉得神秘。宋代的画家用水墨画风景，刚下笔，即收回，不叫画的目的物完成，即刻将笔缩在云雾里面。令人见了，觉得风景的神韵远在无限的距离之中。这样的画亦充满了神秘性。不过周代的神秘性是恐怖的，宋代的神秘性却是玄学的。长期的发展，得了这一个不同，其表示神秘性之处，却无差别。格氏以为这是中国艺术所以异于一切古典文明国的艺术之所在（页二八五）。

关于中国艺术所受外来之影响一问题，格氏的态度非常慎重，这可从好些地方看出，但无论如何慎重，终逃不了现较为流行之见解的若干影响。例如谈到远古艺术之起源，很有人以为欧亚两方的艺术是同出一源的。格氏于此，却亦只能稍稍变易其说曰：公元前五千年到三千年之间，整个的欧洲和亚洲实具有一种彩色陶器为特征的共通文化。一九二七年与一九二八年德国考古学者 Herzfeld 教授在 Damaghan 与 Persepolis 以及波斯高原的若干处的发掘，很足以帮助我们坚持这个见解。我们因此可以相信：史前文化的许多中心点，现在看来，好像彼此分离孤立，其实是互相联系的。不过 Herzfeld 氏以为由 Tripolie 到河南由甘肃到 Susa，其间有石器时代之文化的联系；我们却不能因此就断定认为文化中心点彼此都是互相从属的，我们最好说：每一个文化中心虽隶属于一个较普遍的共通文化之下，其自身却仍是可以独立的。所以中国这一个文化中心区实有其独立性，这一层道理，自步达生（Davidson Black）的《史前甘肃人种之生理的特征》（*The Physical Characters of the Prehistoric Kansu Race*）问世以后，可为可信。

又如谈到蒙古及中亚一带草原区的艺术（the art of the steppes），人多以为这是中国的艺术之所从出。许多学者认为中国艺术思想之构成实受了草原艺术的影响。格氏对于草原艺术说得很详；凡源流，特性，以及最近的发见，都有所论断；但不承认中国艺术思想是受了草原艺术之影响才构成的。草原艺术之渊源，格氏亦认定在美索不达米亚。一九三一年，伦敦举行波斯艺展，其中大部分的铜器，据波斯古物主持人 Mr.Andre Godard 证明是属于卡色提人（Kassite）时代的。卡色提人在巴比伦的历史上演过重要的一幕，其时约在公元前一七〇〇年到一一〇〇年之间。他们是波斯境内印度伊兰人（Indo-Iranians）的最好守卫者，故很容易把美索不达米亚方面艺术上的动物图案等直接或间接传给印度伊兰人；印度伊兰人又直接或间接传给其邻族，终于到中亚及蒙古一带草原区内。这样源远流长的艺术，一入草原区，为游牧生活所限，便呈出异样：（1）游牧民族无定居，无大厦，因此其艺术品中没有关于建筑的，没有关于塑像的，没有关于图画的。（2）游牧民族要游行，故其艺术品只限于随身可带的铜器，人身装饰品，马身装饰品以及地毯等。（3）游牧民族所习见的事情为动物的搏斗，故铜器图案多为动物搏斗之形。

这草原艺术的中心区，最近新发见的有两处，均富于具有动物图案的铜器，一为米奴森斯克（Minusinsk）在叶尼塞河（Yenisei）上游，与蒙古唐努乌良海相去不远的地方。一九二九到一九三〇年 Cologne 的东方博物院主特人 Salmony 教授在西伯利亚作考古旅行，在该处得到铜器，曾加以新的考察。另一为蒙古境内靠近 Urga 的 Noin-Ola。一九二四到一九二五年，俄国考古团 Kozlov，Tenpluköv，以及 Borovka 等在该处从匈奴人的墓中发见地毯，丝绣，粗瓷器，铜器，装饰品极多。有一块地毯上的图案仍显示着动物搏斗之形（页一四〇到一四一）。

草原艺术的动物图案与六朝时候的艺术品多有极相

仿佛的地方。初看了，很难说中国艺术与草原艺术没有血统关系。格氏于此亦只好极慎重的委曲其辞曰：六朝时代，中国北部常为鲜卑，蒙古以及突厥蒙古（Turco-mongal）的拓跋诸族中之游牧人所占据，这些人把中国本部与草原的关系弄得很密，自不免暂时把草原艺术的意味加一些到中国艺术上。所以 Monsieur Vignier 谓中国六朝时艺术品上动物图案的阿剌伯风味（arabesque）为草原艺术之别出，实不足奇。游牧民族在中国北部创造一种生活情形与草原的生活情形相似，我们正宜根据此点，以比较两方的艺术（页一四五到一四六）。这些话虽极委曲，但毕竟不是承认中国艺术出自草原。

再如希腊罗马（Greco-Roman），波斯，印度等地的艺术对中国艺术所生的影响，格氏亦说得极慎重。（1）他以为这三方面的影响概经是由佛化而始入中国的。（2）他以为希腊和印度的艺术影响虽都经由佛化于中亚方面传入中国，但希腊的影响于公元初三世纪之内即已传入中国，而印度的影响反而在六世纪时才传入中国。（3）唐代艺术并不是一律佛化了的。已佛化的，未佛化的，半佛化的，分别显然。凡此诸端，足见其立言的慎重而不笼统。

关于中国与法国艺术的相互影响，格氏也谈到了。彼谓一七一二年 Father d'Entrecolles 即断定欧洲人自彼时以后对中国的瓷器当极感兴趣。后来果然有帘幕一类之物上面的绘画具有乾隆时代的艺术意味！反之，中国的瓷瓶一类之物，现藏在 Guimet 博物院里的亦具有十八世纪的法国艺术意味，这当是中国人模仿欧洲人的艺术之证。

格氏在这本书里，颇想以社会背景解释艺术。每讲一个时代的艺术，大抵先述该时代的社会政治之一般的情形。彼本是相当明了东方历史的人，且著有《极东史》，故能办此。这算是一个特别之处。不过格氏的解释，有的太机械，有的太贫弱，但终有些是很好的。例如周秦时代政治极混乱，六朝时代政治也极混乱，中间隔了一个汉代是大一统之时，因此认为六朝的艺术，跳过汉代，重现周秦时的意味，就未免太机械了。又如后魏至隋，中国方面的艺术正趋向"戈代式"而发展，同时欧洲方面的艺术也正趋向"戈代式"而发展；格氏谓这种巧合，除承认两方精神生活或哲学思想有相同之点，实无法解释。但当时中国思想有那些地方是推进“戈代式”的，固全无说明；即欧洲当时推进“戈代式”的是一些什么思想，亦复全无说明，这就未免太贫弱了。至谓周秦时代饕餮一类的图案之有恐怖的神秘性，乃反映着当时社会政治下一般人的恐怖心理，这倒是说得过去的。恐怖心理固然不是绵延的心理；具有恐怖意味的艺术品，也并不是绵延心理的。反之，实如黑格尔所说，乃引起反感的。反感的作用适足增进消灭实际的恐怖事物之心理（Hegal：*The Philosophy of Fine Art*，卷一，页四三到四四）。此外如拿游牧生活解说草原艺术的特征，都算解说得很好。

评斯坦因氏《古代中亚之遗迹》

《古代中亚之遗迹》（*On Ancient Central-Asian Tracks*）一书，又叫做《亚洲极中部与中国西北部三次考古旅行简述》（*Brief Narrative of Three Expeditions in Innermost Asia and Northwestern China*）。著者名叫斯坦因（Sir Aurel Stein），出版者麦美伦书局（Macmillan & Company Limited）。

斯坦因这个人，在中国是颇有名的。早在民国十四年，王静安先生在清华人学讲演《最近二三十年中中国新发见之学问》时，就给他一个独特的地位。

> 当光绪中叶（一千九百年至一千九百零一年），英印度政府所派之匈牙利人斯坦因博士访古于我国和阗（Khotan），于尼雅河下流废址得魏晋间人所书木简数十枚；嗣于光绪季年

（一千九百零六年至一千九百零八年），先后于罗布淖尔东北故城得晋初人书木简百余枚。于敦煌汉长城故址得两汉人所书木简数百枚（原物均归英国博物馆收藏），皆经法人沙畹教授（Ed. Chavannes）考释。其第一次所得印于斯氏《和阗故迹》（*Sand-buried Ruins of Khotan*）中。第二次所得别为专书，于癸丑甲寅间（民国二、三年间）出版。此项木简中有古书（《苍颉篇》、《急就篇》），历日，方书。而其大半皆屯戍簿录（又有公文、案卷、信札等），于史地二学关系极大。……至光绪丁未（三十三年），斯坦因氏与伯希和氏（Paul Pelliot）先后至敦煌，各得六朝人及唐人所写卷子本书数千卷（斯坦因氏所得约三四千卷，伯希和氏所得约六千卷，携之过京）及古梵文、古波斯文及突厥、回鹘诸国文字无算。我国人始稍稍知之，乃取其余约万余卷，置诸学部所立之京师图书馆。前后复经盗窃散归私家者，亦当不下数千卷。（《学衡》四十五期）

斯氏考古旅行至亚洲极中部及中国西北部凡三次。考察所得，著成专书，为量最多。其重要的有：

《中国土耳其斯坦考古旅行初步报告》（*Preliminary Report on a Journey of Archaeological and Topographical Exploration in Chinese Turkestan*）一卷；

《和阗沙迹中的遗物》（或《和阗故迹》）（*Sand-Buried Ruins of Khotan*）一卷；

《古代的和阗》（*Ancient Khotan*）一卷；

《迦泰荒墟的遗物》（*Ruins of Desert Cathay*）二卷；

《支那印度》（*Serindia*）五卷；

《亚洲极中部》（*Innermost Asia*）三卷；

《亚力山大远征至印度的遗迹》（*On Alexander's Track to the Indus*）卷；

《印度西北与伊兰东南考古记》（*Archaeological Reconnaissances in Northwestern India and Southeastern Iran*）一卷。

此外散见于考古杂志中的零篇论文亦多。这些专门书籍中，以《亚洲极中部》及《支那印度》两书规模为最大，共计凡八大卷，其中彩色图片之多而且精，令人惊叹。至于我这里要批评的《古代中亚之遗迹》一书，可以视为研究斯氏著作的一个导论和结论，全书系统极整齐，图片极精美，论断极简括。看了这部书之后，一定想看其他各部书；看了其他各部书之后，又一定想看这部书。这部书是从其他各部著作中抽出精彩的部分，组成一篇一篇，为美国大学生而作的有系统的演讲稿；且是极通俗之作，不一定要考古专家看了才觉有意思。斯氏自己说：美国哈佛大学校长请他在波士顿洛维研究院（Lowell Institute）作有系统的讲演，他便利用机会，把他自己在亚洲极中部三次考察的经过，及所得的成绩，紧缩为一种讲演稿，使成为一种较通俗的著作，供多数学人使用（本书序言）。

斯氏的考古旅行，系从印度出发，过兴都库什，达帕米尔，由疏勒南下，沿昆仑北麓，东行，经和阗，过楼兰故址，到敦煌，治长城东南行，抵甘州，然后回向西北，越长城，到哈密，沿天山南麓，经吐鲁蕃库车等地西行，再到疏勒。又由此逾葱岭，经过中亚许多要地，然后回至撒马尔干，复返于印度。其所经过，恰成一个圈子。

斯氏的考古旅行，前后凡三次。第一次在一九〇〇年到一九〇一年间，第二次在一九〇六年到一九〇八年间，第三次在一九一三年到一九一六年间。所历时日，据他自己说，整整七年。所经路程，据他自己说，整整二万五千英里！且完全凭步行或乘马而达到的！

其路线的方向，书后有自作的详图表示着。该图所概括的区域，为中国土耳其斯坦（Chinese Turkestan）及中亚与甘肃附近诸地。

全书有图一百四十七幅，其内容皆为著者考察所得的实物。有佛画，有丝织物上的花纹，有古代的钱币，有古印度波斯等文字的文书，有器物，有古建筑遗址，及其他各种艺术品等。精美明朗，最为可观。书分二十章，见其章次，即可窥见其考察的过程及着重之点。

计第一章，亚洲极中部的鸟瞰；第二章，中国在亚洲的开拓，及中亚方面各地文化之汇合；第三章，过兴都库什，到帕米尔，而达昆仑；第四章，一个沙迹废墟的首先考察；第五章，尼雅河废墟的诸种发见；第六章，旧地重游的尼雅河及安碟烈之遗物；第七章，鄯善之遗物；第八章，楼兰废墟之诸种考察；第九章，干涸的罗布泊中古代通行之道的探访；第十章，一条古界线之发见；第十一章，沿中国城之诸种发见；第十二章，千佛洞；第十三章，一座淹没了的古寺之诸种发见；第十四章，千佛洞的佛画；第十五章，南山山系间之考察；第十六章，由弱水到天山；第十七章，吐鲁蕃之诸种遗物；第十八章，由库车到疏勒；第十九章，由疏勒到阿尔楚帕米尔；第二十章，妫水上游；第二十一章，由若善（Roshan）到撒马尔干。

全书的价值，最重要的，在文化方面，是西域文化史的极好资料。研究古代各地文化在中亚方面汇合的情形，或中国印度希腊三大系文化在该地交流的情形，此等著作最为有用。不过我以目前需要的不同，偏重经济史料的寻找；尤其是古代中西的陆路交通，及商旅往来等，为我所比较留意的东西。但这书居然也使我在这些方面得到极大的满意。如往交通或通商要道之证实，便是一端。关于中国与葱岭以西的往来，《汉书 · 张骞传》里有一段，说张骞曾到乌孙，其一同出去的几个副使，也曾分别到了大宛，康居，月氏，大夏诸国。各该国亦复派人同来中国。原文云：

骞为中郎将，将三百人，……牛羊以万数，赍金币帛直数千巨万。多持节副使，道可，便遣之旁国。骞既至乌孙，致赐谕指，未能得其决。……骞即分遣副使使大宛、康居、月氏、大夏。乌孙发驿道送骞，与乌孙使数十人，马数十匹，报谢，因令窥汉，知其广大。……其所遣副使，通大夏之属者，皆颇与其人俱来。于是西北国始通于汉矣。

张骞等所到之国都在葱岭以西。计：

乌孙在今伊犁河流域，中央亚细亚可萨克地方（原在今甘肃，因一面逐大月氏，一面又被匈奴所逐，遂展转至此）。

大宛在今中央亚细亚南部乌兹伯克之东北部。其都城贵山城，大概就是今之霍占（Khojen）。

康居在大宛之北，今中央亚细亚锡尔河东北与西南两岸之地，大约即其属地。

大月氏，原在今甘肃，后西行至大夏，遂君临大夏之地。

大夏在今中亚细亚东南部阿母河以东，葱岭以西及阿富汗北境。这些地方的人来到中国，中国人出使到这些地方，其来往的路道，在我们的脑子里，从来只是一种鸟道或箭道式的道，总没有确定的路道之印象。尤其是被称为世界屋脊的地方，约两千年前，居然有商人从上面爬过，几乎是不可思议的事。在未得实证之先，纵有记载，几乎只可当小说看。

同时西洋人方面也有一种关于古代中西陆路通商要道的起载，见于 Ptolomy 的地理著作中。Ptolomy 为公元二世纪时之地理家，他从他的前辈学者 Marinus 手里得到关于古代中西陆路通商要道的知识。此等知识的本身又是 Marinus 从马其顿商人 Maes（又叫做 Titianus）的许多代办人的直接报告中得来，最为重要而详尽。这些代办人常旅行大夏；由大夏到“产丝之国”（Country of Seres）或中国，贩买丝物，所以有详尽之通商要道之记载（《亚洲极中部》页八四八，及本书页二九二）。

不过这等记载虽甚重要而尽详，来源虽甚可靠；但未得到实地的证据之时，也终只是一种记载而已。Ptolomy 的著作中所记 Scythia 的里部 Imaon，与外部

Inoan，虽就是葱岭上中西通商要道之 Alai 谷的西边与东边；然也未得证实。裕尔爵士（Sir Henry Yule，为解释古代游记最有名的人，为译《马可波罗游记》译得最完全的人）虽有极好的论断，认定马其顿商人到东方通商的要道，正经过葱岭上 Kara-Tegin 迤东之谷；然也只是个人的论断。

东西两方的文献中都有关于中西陆路通商要道的记载，却都不能切指出所谓“世界屋脊”上所应爬过的一段在何处，为何状。直到斯坦因，在亚洲极中部作第三次考察之行，详察葱岭上之 Alai 谷，才确知往日中西陆路通商要道是经由该谷的；才晓得马其顿商人的报告及 Ptolomy 的记载与裕尔爵士的推断，均为绝对正确而无误。斯氏谓，他的第三次考古旅行，自始即要越过帕米尔及俄属妫河附近的许多山地；其主要理由之一，即在希望因此能实地研究古代中西通商要道之许多地点问题。在东方各处所得的经验，足以暗示这样实地去研究关于历史地理诸问题，最为有益。事实所昭，果然不错。当他开始行经葱岭上 Kara-Tegin 迤东之 Alai 谷时，便感着异常的满意（本书页二九二）。

凡地理的形势，气候的情形，以及当地的物产，足以帮助我们确认，葱岭上沿 Alai 谷之天然大道，就是古代丝商从中国及塔里木盆地达到妫河中流所必经过之地（同上）。这个地方，介于塔里木盆地与妫河上游之中，为塔里木河与妫河之分水岭（本书页五）。实是从妫河上游到塔里木盆地之最平易的交通线。天然的障碍极少，特别便于东西的交通往来。西边从俄属军路进入 Alai 谷，谷口有宽达六英里至十一英里的广阔之地。东边从疏勒进入 Alai 谷，谷口的广阔之地，与西边的一样，既广阔，又平易。又因气候适宜之故，处处有平易的草地，在夏季，最便于畜牧（同上）。积此种种优点，该处便很少不住人的地方。完全无人之境，不到七十英里。一年有八九个月最便于通商往来。就是冬季冰雪交加之时，还可通行（《亚洲极中部》页八四八）。所以该处实为葱岭上天然现成的通商要道。

当公元前后的几百年之内，大夏尚为中国与波斯及地中海间丝织物贸易之中心点时，葱岭上的地理条件逼着商人不得不从疏勒而 Alai 谷，由 Alai 谷为妫河。于是 Alai 谷乃成为天然的必须经过的通商要道（同上）。再者，实际上考得之地，于往日的若干记载对戡，又无不符合。例如 Ptolomy 述中西通商要道时，有一大段涉及一个名叫 Komedoi 的山国。这个国的地位，裕尔爵士早断定为 Alai 谷所在地 Kara-Tegin。其次玄奘也曾用一个名词，曰 Chu-mito（《大唐西域记》云："拘谜陁国，……据大葱岭中"）代表一个地方，其地方亦恰恰相当于 Kara-Tegin。再其次，中世纪阿剌伯的地理家也曾用 Kumedh 一名，名这同一之地。而今实察这个地方，确为中西通商要通。可见实察所得，与记载所示，无不符合（同上，页八四九）。

中西通商最难的一段既然这么寻找出来了，其全线可大致定如下：自中国本部（Ianed of Seres 案：这简直就是丝国本部，因为 Seric Fabrics 就是丝物，Sericulture 就是养蚕法，可以比看）到敦煌为一段，自敦煌西北行沿天山南麓到疏勒；西南行，沿昆仑山北麓也到疏勒；这敦煌与疏勒间的两线，合为一段。自疏勒经过葱岭之 Alai 谷到妫河上游为一段。自妫河上游，可分三个路向：一北向，入妫河东北各地；另一南向，入印度；其中一线由大夏西向，入安息，波斯等处，此也可称为一段。

自安息，波斯到地中海东岸，最后入希腊，罗马一段。

道路开通的那一天，也就是贸易发达的那一天。中西的贸易，以丝织的为最重要。斯坦因氏利用他发见的许多丝织遗物，作推论的基础，得到关于丝织物的交易的结论不少。斯氏三次考古旅行所得遗物，以丝制的为最多。自疏勒以东，敦煌以西，沿昆仑山北麓，及天山南麓的许多要地，如和阗，如楼兰，如敦煌，如吐鲁蕃以及其他沿此两线的地方，几乎处处有丝制遗物的发见。其数量最多，其种类亦至不一。有丝包，有丝袋，有绢画，有行囊，有旗帜，有面帕，有垫褥，有花毡，有花缎及其他种种。这些东西，都是中国本部去的。

斯氏在中国土耳其斯坦曾发见一个黄色丝袋。从各方面考证，认为是古代中国与该地作丝织物贸易时所遗下之物品。……自从在鄯善旧地发见一保存原形有十九寸宽之丝织品以后，斯氏深信中国丝物向西方销售的事实，为不可致疑（《迦泰荒墟的遗物》卷一，页三八一）。这是关于中丝西销的话。

至于中国丝织物销售于西方的时代，斯氏以为在公元初及其继起的几世纪之内。他以为中国向中亚细亚方面的开拓，不在版图的扩大，而在贸易的获利。所以中国声威向西方传播之时，便是西方商人远来东方之时。中国之政治势力，自班超得胜以后，便已扩充到帕米尔以西去了。当时中国与安息已建立了外交关系；与远方的大秦或西里亚，更以公元九十七年派遣使节进抵波斯湾之故，发生了直接因缘。彼时中国之声威与势力，在中亚方面，算达到了最高度。恰好在这时候，马其顿的商人，正由大夏东向，越过葱岭，达到中国（他们称之为 Far-off serike，或称之为 The Land of Seres，意即 China）；将丝物运往西方（本书页二六至二七）。这是关系中丝西销之时代的话。

至于销售的地方，几乎达到了地中海沿岸。中国的军事势力深入中亚细亚以后，随着就派遣政治的使节出往各国，如大夏，如波斯，都派有大员。其重要目的，在夸示中国的声威及出产的丰富。所以中国之出产之中，随着这些使节而向西方畅销的，以优良的丝织物为最惹人注意。当时的丝织物已开始经由安息及西西里亚而直达地中海。并且不久以后，就从这等地方把“织丝的中国人”（Silk-weaving seres，即是 Chinese）一个美名，传到了希腊，罗马的文化中心地（本书页一九）。这是关于中丝西销的地方的话。

不过于此有一问题。中国丝织物固然畅销与西方，所发见的丝制遗物固然是当时贸易的残品，但是这些遗物当中有具有“波斯式之花纹”的。如敦煌所发见的丝制垫褥，其上面的花纹便具有波斯式样。如着翼之狮子，有很长的卷发，两个彼此相向之类是。此等花纹式样，斯氏以为是从希腊的美术中转来，经由美索不达米亚，然后到伊兰，再由伊兰到此间。然则中国产的丝物何以要采西方的花纹式样呢？对此问题，斯氏有一个解答。他以为中国丝物采取西方的花纹式样，大概由于要运销西方之故。因为要运销西方，故采西方花式，以投消受者之所好。正如十七世纪及十八世纪时，中国的瓷器，为要运销欧洲，遂采取欧洲的花色，事同一理（《迦泰荒墟的遗物》卷二，页二〇九至二一〇）。这解答也很近情。即如现代中国妇女的旗袍料，多是外国来的；然其花色，又多中国式样；这我明知为外国的商人与资本家在投中国妇女之所好。以此例彼，斯氏的解答亦说得去。

其次，关于产丝的中心地，也有一个问题。畅销于西方的丝物，为中国所产；中国在希腊，罗马方面，亦负有声名，也由于丝产之多。因此，产丝的中心地应限于中国本部，毫无疑义。但斯坦因认为和阗也是一个产丝的中心，这就颇费解释了。丝业是可获利的，自中国丝开始销与西方以后的几世纪之内，丝的生产都为中国所独占，不许别人仿行（本书页一九）。若谓和阗也是一个产丝的中心，这于事理，未免有点矛盾。和阗在西域（当时的西域，主要范围，乃敦煌以西沿天山南麓及昆仑山北麓的各地，并不是单指葱岭以西而言），如何能仿行丝业？其方法果从何来？关于这问题，斯氏凭一张画板，一个破庙，再参以玄奘所记的一个故事；三者相校，乃发见和阗仿行丝业及中国养蚕法传入和阗的线索。

照玄奘所讲的故事讲，有一个中国的公主，大家相信她曾有把中国的养蚕法传到和阗。其时盖在香客盛行烧香敬神之时，产业颇为旺盛。大家都以为这位公主曾把中国所严禁出口的头等蚕种藏在自己的帽子之下带往该处。因这有价值的舞弊，所以她后来死了，就被当地的人民供奉于其国中。和阗城外不远，香客们所常进谒之庙，就是纪念这位公主的（本书页六三）。

玄奘所记的故事，大意如此。至于那张画呢，其中意思如何，人民老早就不懂了。画的中央，坐一位衣服很讲究的妇人，头戴高帽，两旁有娘儿们跪着。画之一端，有一个篮子，其中所盛最易被人误识认为小小的果子。其另一端，有一个破烂的架子，初看不知何物。妇人的左边有一人以左手指着她的帽子。画之大略如此，拿来与玄奘所记的故事一比，意思立即显明。她那被人一手指着的帽子下面藏着从中国偷来的蚕种。篮子里所盛的，不是果子，而是蚕茧。至于另一端的那个烂家伙，乃是一架织丝之机（本书页六三）。

和阗既有了养蚕法，能仿行丝业了，于是也成了一个丝业中心。斯氏因此断云：和阗一地实为古代移植养蚕法之中心，或丝业中心。与葱岭以西妫河流域诸地及伊兰的关系甚密，能以花色毕肖波斯式之丝织物品运销于各地（《迦泰荒墟的遗物》卷二，页二一〇）。这么一来，葱岭以东的丝业中心点，除中国本部外，又加上了和阗。

上述中西陆路通商要道之证实，与丝物贸易之说明，乃斯氏这本书在经济史一方面所昭示的。但这不是他这本书的中心所在。其中心之所在，乃美术的以及一般文化的发见。其价值显而易见，这里也不作介绍。兹且单就他所发见的实物上归纳出来的阙于文化的论断，略录几句，以见一般。斯氏谓中国土耳其斯坦及其附近诸地，西至妫河，东至中国本部，虽为荒墟；然在历史上，却表现了极重要的作用；有许多世纪，曾为印度，中国及希腊化的西亚三方文化交汇之所（本书页一）。这地方为历史上之重要舞台，远东文化，印度文化以及西洋文化交织于其间者，足有一千年之久（同上，页一七）。从他这些论断上，再进而看他考古旅行的经过，及所发见的诸种实物，以及所加的各种说明，都极有趣。这本书的确是一部关于西域文化史的很好的参考书。

中国史学之进化

一 历史与史学之别

（一）历史为人类过去之活动，属于生活之范围；史学为研究此种之结果，属于知识之范围。且取其他社会科学以为譬：如经济生活，属于生活范围者，而研究经济生活之经济学，则属知识范围；社会生活，属于生活范围者，而研究社会生活之社会学，则属知识范围；政治生活，属于生活范围者，而研究政治生活之政治学，则属知识范围。生活为独立自存者，知识则依循生活而起。历史既属生活范围，故系独立自存；史学既属知识范围，则依循历史而起。有历史而无史学，事属寻常；正如有植物而无植物学，有动物而无动物学，有矿物而无矿物学等等，同属寻常之事。但谓有史学而无历史，或史学非系依循历史而兴起，则为自相矛盾而不可思议之奇谈。虽然历史与史学之别，固截然不可混同者；但往日治史者或完全不知有此等区别，或知有此等区别而不十分措意，或十分措意而无适当之词以表示此两个截然不同之范围。最后一点，尤为普通。例如培根氏（Bacon）分知识之类，尝以历史与哲学科学等并列；是则历史一词，当然代表知识范围内之事情，而非代表生活范围内之事情者。又如叔本华氏（Schopenhauer）之论历史（详见其所著 *The World as Will and Idea* 卷三，页二二〇至二三〇），尝以历史与艺术生活相提并论，其所论者，十九属于生活范围，而非知识范围，然彼仍只以历史一词表示之。生活与知识，显然为两事；然表示之词，则一而已。最近，克罗采氏（Croce）之论历史（详见其所著《精神哲学》第四卷，*The Theory and History of History*），更完全偏重直觉生活一边，然用以作表达之具者，仍为普通常用之历史一名词。吾人今日治史，对于历史与史学所涉两个不同之范围，务必分划清楚，否则治史之目标最易流于歧误或暧昧不明。盖历史为吾人所已有者，其实在情形如何，亟待阐明或解释；而史学则尚在创造之中，今所能见之成绩，仅有若干未具系统之史书。治史之唯一目标，在阐明历史，或阐明人类过去之活动，断不能固步自封于未具系统之史书。往日治史之人，忽视此点，常以熟读史书或考证史书，为等于阐明历史。其实不然：阐明历史，固不能不熟读史书或考证史书；而熟读史书或考证史书，则未必等于阐明历史。此中关系，可以一二实例明之。如未有记录之前，固无史书可读者；然其时之历史，仍有方法为之阐明，今日石器时代历史之渐明，其实例也。又如已有记录之后，可读之史书固已极多；然其时之历史，亦未必皆已大白于今日；清代考证史书之工夫，颇著成效，但考证史书者，对于吾人所已有之历史，究已阐明至如何程度，虽在今日，亦未易言；此又 实例也。凭此等等实例，可知阐明历史为一事，考证史书或熟读史书，为又一事；阐明历史，目的也；考证史书或熟读史书，手段也。在史学尚未臻于完全成熟之今日，倘历史与史学之界划不清，最易误认手段为目的，而以熟读若干史书或考证若干书为等于阐明历史，此治史目标之歧误也。

二　起于实用之记录

（二）介于历史与史学之间者为记录，记录之后面为历史，记录之前面为史学；史学之发生成长，记录实为其第一步工夫。中国古代记录之产生，完全由于实用上之需要，此与其他自然科学发展之途径正相同者。未有几何学之先，已有测地术；未有天文学之先，已有观星术；未有物理学之先，已有建筑术；未有化学之先，已有冶金术；未有医学之先，已有诊断术。史学亦然，当其未及成科而具系统之先，记录之术，则早已出现。史之一字，其根本意义，即为记录。史字之形，在甲骨文中，有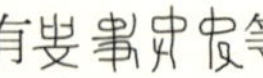等，王国维《观堂集林·释史》篇释作手持盛筭之器；筭与简策相同，手持盛筭之器，无异于手持简策；手持简策，正象征记录。但最近又有别解，朱希祖在其所著《中国史学通论》中，谓王说源出日人，未为的当；“史”字之形，实等于，，即册字，即为书册；故“史”非手持盛筭之器，实乃以手持书也。此其为说，于义颇谐；但甲骨文中之“史”字，未有从者，则于形为不合。此外更有谓“史”为倒持笔形者：以手

持笔，其形为肃，即是“聿”字，亦即“笔”字，倒持笔形，因得“史”字。此其为说，于形颇合；但笔而倒持，于义究何所取，尚待说明。因此之故吾人无妨仍采王氏之说，认“史”字为手持盛筭之器，为记录之象征。

（三）今人记录，几乎全在纸上；但古人无纸，用作记录之物，种类颇多：印度人于贝叶上写经，巴比伦人于泥砖上契字，埃及人则用帕皮拉斯（Papyrus）为记录之物；帕皮拉斯，乃一种可供书写之植物皮也。中国古代之记录，若就可供记录之物而言，种类亦不一而足。最令人注意者曰结绳，此当在文字出现之先。《易·系辞下》：“上古结绳而治，后世圣人易之以书契。”《周易正义》引郑康成注云：“事大，大结其绳，事小，小结其绳。”此以结绳为记录也。曰画图，即画图形于器物上之谓，安徒生氏（Andersson）考古于甘肃，得绘陶颇多，其上所绘之图，或为人形，或为兽形，或为鸟形，或为器物之形，凡此皆文字也。文字之进化，当由画图进到象形，由象形进到拼音。中国文字，今正介于画图与拼音之间。未有象形字之先，古人殆以画图为记录。曰勒石，《续汉书·祭祀志》注引《庄子》云：“封禅七十二代，有形兆垝鄂勒石，凡千八百余处。”章太炎《检论·尚书故言》云：“古者封泰山，禅梁父者七十二家，而夷吾所记，十有二焉。……楚灵王所谓三坟五典，八索九丘者，坟丘十二，宜即夷吾所记泰山刻石十有二家也。”曰契甲刻骨，即于龟甲上或兽骨上刻字以作记录之谓，今日学者盛称之甲骨卜辞是也。河南安阳殷虚所藏甲骨，自清光绪二十五年（公元一八九九年）出土以来，直至现在，研究者极多，盖殷商时代最正确之记录也。曰镂金，即金属器物上刻字以为记录之谓，古代钟鼎彝器，多著铭文，如颂鼎上有“王呼内史虢生册命颂”之文，师奎父鼎上有“王呼史驹册命师奎父”之文，师毛父敦上有“大史册命锡赤市”之文等等，是其例也。此等铭文，在今人视之，实为最可靠之史料。曰刻竹，即削竹为简，以作记录之谓。叶德辉《书林清话·书之称册》有云：“古书止有竹简，曰汗简，曰杀青。汗者去其竹汁，杀青者去其青皮。……新竹有汗，善朽蠹；凡作简者，皆于火上炙干之。陈楚间谓之汗，汗者，去其汁也。而其用有二：一为刀刻，《说文解字》云，八体之刻符是也。一为漆书，《后汉书·杜林传》：‘于西州得漆书古文《尚书》一卷’,《晋书·束晳传》:‘太康二年,汲郡人发冢,得竹书数十车,皆简编,科斗文字,杂写经史。’……竹书之用甚广,《说文解字》篆籀等字,即其明证。如篆曰引书,籀曰读书,籍曰簿书,笺曰识书,皆从竹而各谐其声。《汉志》称书曰多少篇,篇亦从竹,《说文》:‘篇,书也。’”又同书《刀刻原于金石》云:“刻竹削牍,镂金勒石,皆以刀作字之先河。然纪事多用竹木,纪功专用金石。古鼎彝金器,字有范铸者,有刀刻者,划然二途,各有体也。”总上数者观之,结绳与画图,极为幼稚拙笨,当是最早之记录方法;契甲刻骨,多用以记占卜之结果,占卜结果皆指导日常生活者;镂金勒石,用以纪功;刻竹削牍,用以纪事。要皆起于实用之记录方法也。

(四)记录必有专司其职之人。“史”之义为手持盛筭之器,然则持此器者果为何等人物?曰:史官是也。殷商时代甲骨卜辞上所见主持贞卜之人,如㱿,亘,永,宾,韦,箙,史,大,旅,即,行,口,兄,出,逆,宁,彭,冘,黄,泳等,皆史官也。周代史官之见于载籍者,种类极多,任务亦广,《礼·王藻》云:“动则左史书之，言则右史书之。”《周礼·春官》有太史，掌建邦之六典；有小史，掌邦国之志；有内史，掌王之八枋之法；有外史，掌书外令，掌四方之志，掌三皇五帝之书，掌达书名于四方；有御史，掌邦国都鄙及万民之治令。至于各国史官，则周有内史过，内史叔兴，内史叔服；鲁有太史克；虢有史嚣；晋有史苏，董狐，屠黍；卫有史华，龙滑，礼孔；齐有南史；楚有倚相。各国史官与周天子似有从属关系者，大概各国史官最初多系由周天子派充，而非各国所自设。迨周室衰微，情形乃变。章太炎《检论·春秋故言》论此有曰：“史官皆自周出；而诸侯史记，当藏王官，不可私案，故曰天子之记。案《春秋传》祝佗言成王赐鲁祝宗卜史；而楚有周大史官；晋之董史，则辛有二子，自周而出，辛有先世自辛甲，本周太史也，及晋已乱，太史屠黍以图法归周；齐卫太史柳庄死，献公告尸曰：‘柳庄非寡人之臣，社稷之臣也。’柏常骞去周之齐，见晏子曰：‘骞，周室之贱史也。’由是言之，列国太史，皆出五史陪属，隶于王官，而非其邦臣。……王室衰。则为列侯侮弄，虽命卿亦陵轹焉。侯国既以僭礼自尊，史氏虽王官，寄寓其土，势不得抗，则或屈为其臣。”

史官之职掌，归纳言之，最重要者，约可举下之数项以为例。一曰担任记录。甲骨卜辞，概为主持贞卜之史官所记，担任记录，实为史官之主要任务。刘知畿《史通·史官建置》云：“田文，齐之一公子尔，每坐对宾客，侍史记于屏风；赵鞅，晋之一大夫尔，有直臣书过，操简笔于门下；至若秦赵二主渑池交会，各命其御史书某年某月，鼓瑟鼓缶，此则《春秋》‘君举必书’之义也。”二曰保管文书，记录固由史官担任，记录后所成之文书，亦由史官保管。“夏太史令终古见桀惑乱，载其图法出奔商；商太史向挚见纣迷乱，载其图法出奔周；晋太史屠黍见晋之乱，亦以其图法归周。”（同上）此虽未明言图法即为文书或典籍，然吾人若以之与《左传·昭公十五年》所引周王告籍谈之言相较，则可信文书实为史官保管者。周王告籍谈之家世有曰：“昔而高祖孙伯黡，司晋之典籍，以为大政，故曰籍氏。及辛有之二子董之，晋于是乎有董史。女，司典之后也，何故忘之？”籍谈不能对。三曰整理文字，中国字书之最早而可考者，当推《史籀篇》；关于《史籀篇》之著作，有两相反对之说：或谓此非周宣王时太史籀所作，康有为谓古无籀名，王国维以为："昔人作字书者，其首句盖云'太史籀书'，以冒下文；后人因取首句中'史籀'二字以名其篇；（太史籀书）犹言太史读书。汉人不审，乃以史籀为著此书者之人。"其说见《观堂集林·史籀篇叙录》。钱玄同氏于《重印新学伪经考序》中力赞其说，以为"足以摧破二千年来某人作某书种种不根之谈"。然持论与此完全相反者亦大有人，吕思勉于所著《史通评·外篇第一则》曰："中国字书可考最早者，为周时之籀篇，实成于宣王太史籀之手。（原注云：王静安疑之非也。）改革文字，事在秦时，其时之字书《博学篇》亦成于太史令胡毋敬，则无可疑也。"吾意文字由一人独创，未必可信，某人作某书云云，诚为不根之谈；但社会共同创造之字，在进化长途之中，由一二人加以整理，未必为不可能者。整理文字之人，当为史官；史官识字，必较常人为多，用字必较常人为熟；改变字体，使趋约易，在史官为必要；增造新字，以供实用，在史官亦为必要；盖史官所司为记录与保管文书等，与文字之关系，较任何人为密切也。且史籀或亦确有其人；籀字之义，固为读书；借以名人，亦非不可；如晋之籍谈，以典籍而得名；晋之董史，以董理而得名；则史籀以籀书而得名，亦与此相类之例也。四曰职司神事，即司天道，鬼神，灾祥，卜筮，梦等，汪中云："天道鬼神灾祥卜筮梦之备书于策者何也？曰：此史之职也。……周之东迁，官失其守，而列国又不备官，则史皆得而治之。其见于典籍者，曰瞽史，曰祝史，曰史巫，曰宗祝、巫史，曰宗祝卜史，明乎其为联事也。"联事云云，谓即与史官职掌相联之事也。其说见所著述《学内篇·左氏春秋释疑》。史司天事之例，如"吴始用师于越，史墨以为越得岁而吴伐之，必受其凶"，即其例也；史司鬼神之例，如"有神降于莘，惠王问诸内（史过），请以其物享焉"，即其例也；史司灾祥之例，如"陨石于宋五，六鹢退飞过宋都，襄公问吉凶于周内史叔兴"，即其例也；史司卜筮之例，如"陈敬仲之生，周太史有以周易见陈侯者，陈侯使筮之"，即其例也；史司梦之例，如"赵简子梦童子裸，而转以歌，占诸史墨"，即其例也。西洋古代之学行记录等等，大多出自祭司；中国之史官，则亦直接或间接与学术记录等有关系者。上述诸例而由史官解释，则史官也者，几乎可以视为学术之远源。史官之职，以古代文字之教育未能普及，非人人所得而司之，因之其官亦为世守之官，称曰畴人，或世官，或畴官。

（五）史官所记，既成文书，则书册之出现，为时当不甚晚。事实亦诚如此：册之一字，在甲骨卜辞中，屡见而不一见，其形作，作，等等，殆联编龟板之象，而与后世书册相当之物乎。果如是者，则殷商时代，即有书矣。虽然，此固不可不存疑者：古人之记录，既已不易；则成书之困难，可以想像及之；纵有龟板之联编，当无与今相似之书册。大概书之盛行，在周末及战国时代。在书未出现，或已出现而为用不广之时，口耳相传，则所以代书册者。章实斋谓古人无专门之著述，至战国始以竹帛代口耳。张采田《史微 · 口说》篇详述口耳相传之重要曰：“官司之职掌，……非书契所能具，则治其学者，相与口耳讲习，而世守之；此天下所以无私家著述，而学者非从师不能传道解惑也。”据张所云：道家出于史官，而托始黄帝，即黄帝以来口耳相传之说也；墨家出于清庙之守，而托始夏禹，即夏禹以来口耳相传之说也；儒家出于司徒之官，而托始尧舜，即尧舜以来口耳相传之说也；法家出于理官，名家出于礼官，杂家出于议官，纵横家出于行人之官，农家出于农稷之官，亦皆始为其官者口耳相传之说也。此所谓口耳相传者，多系指学术而言，当与无关学术之史事稍有不同。不过学术既可借口耳相传，则史事当更易借口耳相传者。因此之故，吾人又可视口耳相传为介于简略之记录与复杂之书册中间之过渡方法。

三　道德文学与史书

（六）迨文化日益进步，成书稍易，诸书乃逐渐出现，诸书既出，史书随之。自孔子作《春秋》之时代，至司马迁作《史记》之时代，历春秋战国秦西汉，吾人且统称周汉之间。此一时期，约八百年，史书陆续出现，而《春秋》与《史记》实为重要之代表焉。《春秋》为后世所谓编年体史书之祖，《史记》为后世所谓记传体史书之祖。但此等代表著作，亦非单纯之史书:《春秋》，系与道德教训，或政治主张相混同者;《史记》，则俨然与传记文学结有不解之缘。兹且先言《春秋》。

《春秋》之名，杜预谓系错举四时中之两季，以名所记之事情者，其《春秋经传集解序》曰:“《春秋》者，鲁史记之名也。记事者以事系日，以日系月，以月系时，以时系年；所以记远近，别同异也。故史之所记，必表年以首事；年有四时，故错举以为所记之名也。”徐彦《公羊传疏》则云:“春为生物之始，而秋为成物之终；故云始于春，终于秋；故曰春秋。”“春秋”本为史书之通称，用此名以冠史书，并不止孔子著之一种；古有许多史书，都名“春秋”：例如《夏殷春秋》，系汲冢瑣语记太丁时事之名;《晋春秋》，系瑣语中记献公十七年事之名;《鲁春秋》,《左传·昭公二年》云:“韩献子来聘，见《鲁春秋》。”孟子亦云:“晋之乘，楚之梼机，鲁之《春秋》，其实一也。”《墨子·明鬼》篇下所引，更有《周春秋》,《燕春秋》,《宋春秋》,《齐春秋》等。“春秋”一类之著作，大概始于周宣王之时代。章太炎《检论·春秋故言》云:“成周故无《春秋》，……《春秋》始作，则当宣王之年，故太史年表始共和；先共和即无历谱可次。《墨子》引诸国《春秋》，亦上逮宣王而止。始作《春秋》凡例者，必宣王时代太史官也。”至于孔子所作之

《春秋》，实为鲁国一国之史书，其编次方法，系依鲁国最高统治者在位之年相续编次，计自鲁隐公元年（周平王四十九年，即公元前七二二年），至哀公十四年（周敬王三十九年，即公元前四八一年），共十二公，凡二百四十二年之事。孔子之《春秋》既出，解释《春秋》经文之传亦随之而起:《公羊传》,《谷梁传》,《左氏传》，其最著者。例如“隐公元年，夏五日，郑伯克段于鄢”，此《春秋》之经文，纯为记史事者。《公羊传》于此一条经文之下则曰:“克之者何？杀之也。”《谷梁传》于此一条经文之下则曰:“克之者何？能也；何能也？能杀也。”《左氏传》于此一条经文之下则有“初，郑武公娶于申，曰武姜，生庄公”云云，一段长篇记事之文。公谷左三传，在今文家视之,《左传》为刘歆破散《国语》，并加以己见，而编入《春秋》逐年之下者;《谷梁传》亦系歆所伪造。崔适《春秋复始序》证云:“此传宗旨，与《七略》同，亦刘歆所作也；歆造《左氏传》，以篡《春秋》之统，又造《谷梁传》为左氏驱除。”唯有《公羊传》，则被认为自始即与《春秋》合一者，故曰:“西汉之初，所谓《春秋》者，合经与传而名焉者也；……其始不但无《公羊传》之名，亦无传之名。……公羊子特先师之一，……古文家始以公羊名传；抑之，与谷梁邹夹同等，而夺其春秋之名，以予左氏者也。”（同上）吾人于此等问题，不拟详论。但有一事必须认明者：即公、谷偏重《春秋》之义理，左氏偏重《春秋》之史事是也。叶梦得《春秋传序》云：“左氏传事不传经，公羊谷梁传义不传事。”《朱子·语类八十三》亦云：“左氏是史学，公谷是经学。”事或史，属于史书之范围；义或经，则属道德教训，或政治主张之范围者也。因此之故，吾人自始即认《春秋》非单纯之史书，而系与道德教训等相混同者。

（七）《左氏传》既传事而不传经，故其叙事，具体详明；附在《春秋》经文之下，颇得纲举目张之妙。刘知几《史通·六家》云：“言见经文，而事详传内，……其言简而要，其事详而博。”言相当于大纲，纲举要略；事相当于细目，目述详情。章太炎《检论·春秋故言》云：“经与传，犹最目与委曲细书，”正谓此也。至于《公羊传》《谷梁传》，既传义而不传事，故其所说，全系道德教训或政治主张等。附在《春秋》经文之下，则《春秋》几乎变成道德伦理或政治哲学之书，例如前举“隐公元年，夏五月，郑伯克段于鄢”一条经文，就文字形式言，无论如何，只可视为记录史事者；然《公羊传》于此，则有一长篇议论曰：“克之者何？杀之也。杀之则曷为谓之克？大郑伯之恶也。曷为大郑伯之恶？母欲立之，亡杀之，如勿与而已矣。段者何？郑伯之弟也。何以不称弟？当国也。其地何？当国也。齐人杀无知，何以不地？在内也；在内，虽当国，不地也。不当国，虽在外，亦不地也。”一条极简之经文，传中竟有如此复杂之奥义。除非认定经与传自始即合而不分，如崔适所云，则颇令人难于置信。否则经传既出自两人，立经者心中怀想之义，与作传者文中表现之义，为何符合无间，实为不易解答之问题。虽然，此在吾人视之，固似为一问题；但孔子之作《春秋》，怀有道德教训，或政治主张，则又吾人所断不能否认者。《孟子·离娄下》之：“王者之迹熄而《诗》亡，《诗》亡然后《春秋》作。”又《滕文公下》云：“世衰道微，邪说暴行又作；臣弑其君者有之，子弑其父者有之；孔子惧，作《春秋》;《春秋》，天子之事也。”又云：“孔子作《春秋》，而乱臣贼子惧。”《庄子·天下》

篇亦云："《春秋》以道名分。"据此等等，吾人实不能谓孔子所作之《春秋》，不含道德教训，或政治主张。

（八）上所论者为与道德混一之《春秋》，兹且继言与文学混一之《史记》。《史记》为司马迁所作，其所依据之书，有《国语》，《世本》，《国策》，《楚汉春秋》等。班固《汉书·司马迁传》云："司马迁据左氏《国语》，采《世本》，《战国策》，述《楚汉春秋》，接其后事，迄于天汉，斯以勤矣。"司马迁所依据之书，当然不止此数，此特其重要者。左氏《国语》，历来被认为系左邱明所作。王充《论衡》云："《国语》，左氏之外传也；左氏传经，词语尚略，故复选录《国语》之训以实之。"韦昭《国语注序》云："左邱明采录前世穆王以来，下迄鲁悼智伯之诛，……以为《国语》；其文不止于经，故号曰外传。"凡此两说，皆认左氏先作《左传》，然后作《国语》。今文家辈则认《国语》为左氏之原书，而《左传》为刘歆自《国语》中割裂而出，编入《春秋》逐年之下者。崔适《史记探源·春秋古文》云："刘歆破散《国语》，并自造妄诞之辞，与释经之语，编入《春秋》逐年之下，托之出自中秘书。命曰《春秋》古文，亦曰《春秋左氏传》。”《国语》所记，为周，鲁，齐，晋，郑，楚，吴，越等八国之事，颇似国别史书。然史事之下，常附长篇演说辩论之文，如穆王将征犬戎一事，当然纯为史事，其下即附有祭公谋父之长篇谏词；故此书而为史书，则系与文学相混者。其次《世本》，似为单纯之史书，作者为谁，不得而知，大概为古史官之所记。《史记集解序·索隐》刘向曰：“《世本》，古史官明于古事者之所记也，录黄帝以来帝王诸侯及卿大夫系谥名号，凡十五篇。”全书所记，门类众多，颇似专科史之总汇。章宗源《隋书·经籍志》考证，考得其篇名曰：“愚按其篇名可见者有《帝系篇》，有《氏姓篇》，有《作篇》，有《居篇》，有《谥法篇》。”作篇所记，包括占验，饮食，礼乐，兵农，车服，图书，器用，艺术等等之起源，俨若今之文化史。故章太炎《检论·尊史》篇慨然曰：“苟史官之无《作篇》，而孰以知群用所自始乎？”司马迁《史记》之分门别类，多少系依《世本》之成规。又其次《战国策》，几乎全为战国时代游谈之士之演说辩论文章，性质偏于文学；但演说辩论之题材，仍为当时各国之史事，故仍可目之为国别史书。其书在刘向集录以前，名称极为不一，至刘向始定其名为《战国策》。向之言曰："战国策……或曰国策，或曰国事，或曰短长，或曰事语，或曰长书，或曰修书；臣向以为战国时游士辅所用之国，为之策谋，宜为《战国策》。"（语见刘向序录）国策，国事，事语云云，均有意义；唯长书，修书，短长云云，则不类书名。叶德辉《书林清话 · 书之称本》有曰："意其时以一国为一策，随其策之长短而名之。"此种解释，似颇近真。内容所涉，横则涉及各国，纵则涉及春秋以后至于秦之二百余年。王觉《题战国策》云："自春秋以后迄于秦，二百余年兴亡成败之迹，粗见于是矣。"又其次《楚汉春秋》，为陆贾所撰。《后汉书 · 班彪传》云："汉兴，大中国大夫陆贾记录时功，作《楚汉春秋》。"《文心雕龙 · 史传》篇云："汉灭嬴项，武功积年；陆贾稽古，作《楚汉春秋》。"《史记》述楚汉之事，专依于此，故《史通 · 外篇》云："刘氏初兴，书唯陆贾而已；子长述楚汉之事，专据此书。"

（九）司马迁之《史记》，被视为纪传体史书之祖者。迁之先为周室之太史，父谈为汉太史令。父死后三年，迁亦为太史令。其所著《史记》，自称《太史公书》（《史记·太史公自序》)。至《隋书·经籍志》以后,《史记》之名乃定。《史记》全书,上起黄帝,下迄汉武,共一百三十篇,分为五类,计本纪十二,世家三十,列传七十,年表十,书八;为中国规模宏大的诸史书中之首先出现者。所分之五个类目,郑樵于《通志·总序》中曾为之解释曰:“本纪纪年,世家传代,表以正历,书以类事,传以著人。”著人之传,完全为纪传文学之文。一百三十篇中,列传占篇七十,超出百分之五十以上,故《史记》实为文学与史书混一之作。况本纪与世家,亦以人物为中心,与列传相去并不甚远者。诸家评论,亦不忽视其文学方面之优点,董骃《史记集解序》云:“刘向扬雄,博极群书,皆称迁有良史之才,服其善序事理;辨而不华,质而不俚;其文直,其事核,不虚美,不隐恶。”辨而不华,质而不俚云云,尚只是就文学之形式方面言;若各传之描写人物,松动具体,实传纪文学之最优美者。

四　由史书进到史学

(一〇)《史记》以后,东汉明帝之时,有班固为兰台令史，著作《汉书》。其著作体裁，仿司马氏。《史通·六家》云："寻其创造，皆准子长，但不为世家，改书曰志而已。""其书穷刘氏之废兴，包举一代，勒成一书，言皆精练，事甚赅密。"（同上）唯郑樵则力辟其断汉为书，失去司马氏会通古今之旨。其《通志·总序》曰："司马氏……通黄帝尧舜至于秦汉，勒成一书，……百代而下，史官不能易其法，学者不能舍其书。……不幸班固非其人，遂失会通之旨。由其断汉为书，遂至周秦不相因，古今成间隔。"此种批评，偏重朝代之通与断，在吾人视之，并不甚关重要。朝代既多，用一书总括之，若《史记》之所为，固甚经济；新朝既起，断代为书以续之，若《汉书》之所为，又有何妨？《史》、《汉》以后，纪传体之史书，已成典型，当为著史书者所模仿。章实斋《文史通义·书教下》云："迁史不可为定法，固书因迁之体，而为一成之义例，遂为后世不祧之宗焉。"刘知畿亦早于《史通·六家》云："汉书家者，……寻其创造，皆准子长。……自东汉以后，作者相仍，皆袭其名号，无所变革。唯东观曰记，三国曰志；然称谓虽别，而体制皆同。……自尔迄今，无改斯道。"自东汉至于唐末，为时约一千年，其间重要史书，多为纪传体：如宋范晔之《后汉书》，晋陈寿之《三国志》，唐房玄龄等之《晋书》，梁沈约之《宋书》，梁萧子显之《南齐书》，唐姚思廉等之《梁书》及《陈书》，唐李延寿之《南史》，唐李百药之《北齐书》，唐令狐德棻之《周书》，唐李延寿之《北史》，唐魏徵之《隋书》等等，皆纪传体史书也。依《史》、《汉》为标准之纪传体史书既已盛行，于是依《春秋》为标准之编年体史书几乎被其压倒，《文史通义·书教下》云："班马之史，以支子而春秋嗣：荀悦袁宏，且以左氏大宗，而降为旁庶矣。"

不过主动之下，当有反动；当纪传体盛行之日，亦即编年体活跃之时。盖纪传体史书与传纪文学混而不分，描写人物，过于烦琐。史书之效用，几乎为文学之效用所遮，所谓"于文为烦，颇难周览"是也。故东汉末年以后，编年体史书，复盛行于一时。《史通·六家》云："汉代史书，以迁固为主；而纪传互出，表志相重，于文为烦，颇难周览。至孝献帝，始命荀悦撮其书为编年体。……自是每代国史，皆有斯作。起后汉至于高齐，如张璠，孙盛，干宝，徐广，裴子野，吴均，何之元，王邵等，其所著书，或谓之春秋，或谓之纪，或谓之略，或谓之典，或谓之志，虽名各异，大抵皆依《左传》以为的准焉。”荀悦，献帝时，官秘书监侍中，受献帝之命而著《汉纪》。《后汉书》云:“献帝好典籍，以班固《汉书》文烦难省，乃令荀悦依《左氏传》体，为《汉纪》三十篇，词约事详，论辩多美。”(《荀淑传附》)《汉纪》之价值，推尊者谓系左氏以后唯一优良之编年体史书，可与班固《汉书》相伯仲。《史通·二体》云:“荀悦……依左氏成书，剪截班史，篇才三十，历代褒之，有逾本传。然则班荀二体，角力争先：欲废其一，固亦难矣。”鄙视者则谓不如班书远甚。顾炎武《日知录·史法》云：“荀悦《汉纪》，改纪表志传编年。其叙事处，索然无复意味，间或首尾不备。其小有不同，皆以班书为长。”谓《汉纪》叙事索然无味，正以其书非纪传体，与传纪文学脱离关系也。张璠，晋之令史，撰《后汉纪》。《隋志》云:“《后汉纪》三十卷，张璠撰。”晁公武《郡斋读书志》云:“东京史籍，唯璠纪差详。”孙盛，晋人，撰有《魏氏春秋》二十卷，《晋阳秋》三十二，详见《晋书·孙盛传》。其书贬之者颇多。或谓其模拟《春秋》而未似，

《史通·模拟》篇云："孙盛魏晋二阳秋，每书年首，必云某年春帝正月。夫年既编帝纪，而月又编帝名；以此拟《春秋》，所谓貌同而心异也。"或谓其纪言辞胜而违实，《三国志·魏志·陈泰传注》云："凡纪言之体，当使若出其口；辞胜而违失，固君子所不取。况复不胜，而徒长虚妄哉？"唯干宝之《晋纪》，在此一类编年体史书之中，颇有特点。干宝，晋人，以才器被召为著作郎，领国史，著《晋纪》凡二十卷。其书价值，评者多推尊之辞。《晋书·干宝传》云："其书简略，直而能婉，咸称良史。"《文心雕龙·史传》篇云："干宝述纪，以审正得序。"《晋纪》之内容，颇重风俗道德，其总论云："朝寡纯德之人，乡乏不贰之老。"又云："妇女庄栉织纴，皆取成于婢仆，未尝知女工丝枲之业，中馈酒食之事也。"故《章太炎文录·五朝学》曰："言魏晋俗敝者，始干宝《晋纪》。"《晋纪》以下其他编年体史书，或拟《左氏》，或担《公羊》：如裴子野之《宋略》，王劭之《齐志》，均拟《左氏》而成功者；若吴均之《齐春秋》，则拟《公羊传》而失败者。

（一一）当纪传编年两体史书发展之日，亦即史学渐趋独立之时。吾人所谓由史书进到书学，正此时之特征。其表现也，有两事最足以引起吾人之注意：一则刘歆对于史事之假托，二则王充对于史事之批评。假托史事者，欲利用往事，以贯彻自己之主张；批评史事者，则欲肃清虚说，以明史书之进化。两种精神之相反，正学术上之一转机。兹且略举事实以为例。刘歆在汉哀帝时，乃奉命校理群书者，《汉书·艺文志》云："成帝时，诏刘向校经传诸子诗赋。……向卒，哀帝复使歆卒父业，歆于是总群书而奏其《七略》。"歆有如此地位，遂能将古簿传于后世，其功自不可没；但正因其负责校书，乃有假托书事机会。古有周公相成王之故事，刘歆为欲助王莽篡汉，苦无前例，乃将周公相成王之事改易为周公摄行天子之事，践天子之位，以便王莽于辅幼主之时，一变而为真皇帝。但此例一开，援者继起：王莽篡汉以后，曹丕曾篡东汉，司马炎曾篡魏，隋文帝曾篡北周。于是历史先例，几成政治典型。学者忧之，又常伪造与上例相反之史事，以作制裁。例如东晋伪《古文尚书》，殆即由此而出者。焦循《尚书补疏自序》云："东晋晚出《尚书孔传》，至今日，稍能读书者皆知其伪。……为此传者，盖见当时曹马所为，……上下倒置，君臣易位，邪说乱经，故不惮改《益稷》，造《伊训》、《太甲》诸篇，……以明君臣上下之义，屏僭越抗害之谈。”假托史事者，固可以作伪；制裁作伪者，亦仍以伪为法门。刘歆之恶劣影响，盖亦大矣。与此完全相反者，则为王充对史事之批评。充于消极方面，驳斥虚说之空生，故其《论衡·正说》篇有云：“前儒不见本末，空生虚说；后儒信前师之言，随旧述故。……故虚说传而不绝，实事没而不见。”于积极方面，则倡历史进化论。当时学者谓古胜于今，充则谓古不必胜于今。《论衡·齐世》篇云：“夫上世治者圣人也，下世治者亦圣人也。……上世之民，下世之民也。……古有无义之人，今有建节之士。善恶杂厕，何世无有？述事者好高古而下今，贵所闻而贱所见；辩士则谈其久者，文人则著其远者。”不唯古不必胜于今，反之，今且胜于古。《宣汉》篇云：“夫实德化，则周不能过汉；……度土境，则周狭于汉。……独谓周多圣人，……使太平绝而无续也。”

（一二）史学之进步，固有赖于批评；但汉唐间史学进步之表征，首在史料分类法之演进。史料最初系与其他书籍混同者，刘歆分群书为六略之时，即以史书入于六艺略中之春秋类，固无独立地位也。钱大昕《补元史艺文志序》云:“自刘子骏校理秘文，分群书为六略(本为七略，但集略一门，乃其余六略之总括，实只六略而已)，曰：六艺者，经部也；诗赋者集部也；诸子，兵书，术数，方技，皆子部也;《世本》,《战国策》,《楚汉春秋》,《太史公书》,《汉著记》，则入之春秋类。……是时固无四部之名，而史家亦未别为一类也。”迨晋荀勖分群书为甲乙丙丁四部，始以史书为独立之一部门。钱云:“晋荀勖撰《中经簿》，始分甲乙丙丁四部，而子犹先于史。至李充为著作郎，重分四部：五经为甲部，史记为乙部，诸子为丙部，诗赋为丁部，而经史子集之次始定。”(同上)唐魏徵撰《隋书》，复分史部之书为十三类，曰：正史类，古史类，杂史类，霸史类，起居注类，旧事类，职官类，仪注类，刑法类，杂传类，地理类，谱系类，簿录类。此种分类，虽不精当，且亦不知其标准之所在；然较之全不分类者，则胜过多矣。至唐杜佑作《通典》，其分史料之类，则较为合理，且有理论以为根据。陈振孙《书录解题》云:“《通典》二百卷，唐宰相京兆杜佑君卿撰，采五经群史，历代沿革废置，群士议论，迄于天宝，凡为八门，曰食货，选举，职官，礼乐，兵刑，法，州郡，边防。贞元中，表上之，李翰为之序。”李翰序文谓其书：“采五经群史，上自黄帝，至于有唐天宝之末，每事以类相从；举其始终历代沿革废置，及当时群士论议得失，靡不条载，附之于事。”《通典》对于史料之分类，颇采管仲“仓廪实知礼节，衣食足知荣辱”，及孔子“既富而教”之旨，以为原则，俨若今之唯物史观然，其自序曰：“所纂《通典》，实采群言；征诸人事，将施有政。夫理道之先，在乎行教化；教化之本，在乎足衣食。易称聚人曰财。洪范八政，一曰食，二曰货。管子曰：‘仓廪实知礼节，衣食足知荣辱。’夫子曰：‘既富而教。’斯之谓矣。夫行教化在乎设职官，设职官在乎审官才，审官才在乎精选举；制礼以端其序，立乐以和其心，此先哲王致治之大方也。故职官设然后典礼乐焉，教化隳然后用刑罚焉，列州郡俾分领焉，置边防遏戎狄焉。是以食货为之首，选举次之，职官又次之，礼又次之，刑又次之，州郡又次之，边防末之，或览之者庶知篇第之旨也。”

（一三）杜佑之书，虽有较为合理的处置史料之方法，然非完全脱离史事，专言方法者。若刘知畿之《史通》，则专言处置史料之方法，与史事完全分离，殆纯粹之史学方法论也。刘知畿为唐初彭城人，中宗时，为著作郎，兼修国史。其所著《史通》，盖欲将自己之心得，昭示后人；对过去之史书，加以指正。全书内容，凡分内外二篇，内篇三十九，外篇一十三：或明自己之历史，如《自叙》篇是也；或明史料之研究法，如《疑古》、《惑经》等篇是也；或明史书之编著方法，如《叙事》、《直书》、《曲笔》等篇是也；或批评过去之史书，如《六家》、《古今正史》、《二体》等篇是也。其所主张，有关于史书之体裁者，一曰兼重纪传与编年二体，对于《春秋》与《史记》，均有褒词；盖二体既已通行，另创新体，颇为不易也。二曰表志之外，主张更立“书”之一门，以收古人言论，不使言论杂于史事之中，如《贾谊传》中之《过秦论》然。中国史书，本可分为记言事两类。《汉书·艺文志》云：“左史记言，右史记事，言为《尚书》，事为《春秋》。”实则《尚书》以下，记言之书，不一而足，如《国语》《国策》，即其例也。《国语》

《国策》中之言，颇与希腊德莫氏（Demosthenes）之演说词相似，亦冶政治，历史，文学，及雄辩术等于一炉者也。史氏主张学书须有“书”之一门，以收古人之言论，其意盖欲使史学脱离文学等等之拘束，而独立成为一科乎？三曰表志。本身亦主变更旧制，表之一门，除年表外，其他皆不必保存；志之一门，主张增设都邑、氏族、方物三志，废去天文二志。关于史书之编著，亦有具体之意见。一曰史贵直书，《史通·直书》篇云：“正直者人之所贵，而君子之德也。”《惑经》篇云：“良史以实录直书为贵。”二曰不必有论赞。论赞本属作史书者之个人意见，编著史书，旨在阐明历史，殊无所取乎论赞。故中国往日史论之多，虽足以明著作者之意见，但与史学无关。刘氏主废论赞，亦卓见也。三曰文章之烦省不拘，一以叙明史事为主。四曰著作史书，应用当代语言。凡此正纯粹史学所不可忽视者。至梁任公先生《中国历史研究法·评过去之史学界》亦云：“唐以前书皆私撰，而成于一人之手；唐以后书皆官撰，而成于多人之手。……于是著作之业，等于奉公，编述之人，名实乖迕。例如房玄龄，魏徵，刘昭，托克托，宋濂，张廷玉等，尸名为某史撰人，而实则于其书无与也。”唯宋欧阳修之《新唐书》及《新五代史》，稍具创作意味。原来五代时刘昭曾奉敕撰修《唐书》，宋薛居正曾奉敕撰修《五代史》，然多疏舛谬误。欧阳氏之《新唐书》二百五十五卷，则补刘书之舛漏者。故彼自谓“事增于前，文省于旧”。其书上起高祖，下迄哀帝，分为四类，计本纪十，志五十，表十五，列传一百五十，亦一巨著也。《新五代史》七十五卷，初名《五代史记》，以非官修，未上于朝，欧阳氏死后，乃始付印，后遂列为正史。《四库总目》云：“唐以后所修诸史，唯是书为私撰，故当时未上于朝。”其与薛居正之《五代史》相异处，《四库总目》有简括之言曰：“薛史如左氏之纪事，本末赅具，而断制多疏；欧史如《公》《谷》之发例，褒贬分明，而传闻多谬。两家之并立，当如三传之俱存。”其独到之处，则“褒贬祖《春秋》，故义例谨严；叙事祖《史记》，故文章高简”（同上）。欧阳氏《新唐书》《新五代史》之外，其他照例修成之纪传体史书，则有元托克托之《宋史》及《元史》，元阿鲁图等之《金史》，明宋濂之《元史》，清张廷玉等之《明史》等，然皆陈陈相因者也。

唯编年体史书，在此时代中，有一空前巨著，曰司马光之《资治通鉴》是也。司马光，宋仁宗实元初中进士，神宗熙宁时为旧党之健者。《宋史本传》云："熙宁新法病民，海内骚动。……光一旦起而为政，凡新法之为民害者，次第取而更张之，不数月之间，划革略尽。"其著《通鉴》，正新党得势之时，历时凡十九年；所采参考资料，正史之外，杂史至三百二十二种。其书既成，"神宗皇帝以鉴于往事有资于治道，赐名曰《资治通鉴》"（胡三省《资治通鉴音注序》）。全书"上起战国，下终五代，凡一千三百六十二年，修成二百九十四卷；又略举事目，年经国纬，以备检寻，为目录三十卷；又参考群书，评其同异，俾归一涂，为考异三十卷，合三百五十四卷"（司马光《进〈资治通鉴〉表》）。范围所涉，有政治，社会，教育，文化，礼乐，律数，天文，地理等等方面。本书《唐纪》开元十二年胡三省注有云："温公作《通鉴》，不特纪治乱之迹而已；至于礼乐，律数，天文，地理，尤致其详。"对于《通鉴》之批评，凡有种种。关于其述事者，一曰渊博。《四库简明目录》谓其“淹通贯串，为史家绝作；朱子欲修纲目以掩之，迄不能掩”。治平《资治通鉴》事若关于著作史书之目的，期为时代所限，未能跳出道德教训之固有范围；故其主张，仍为“申劝戒”一类之陈说。《直书》篇云：“史之为务，申以劝戒，树之风声。”其《书事》篇中所述荀悦之五志，及自己新增之三科，亦仍多属于申劝戒之一义。故其言曰：“昔荀悦有云，立典有五志焉：一曰达道义，二曰彰法式，三曰通古今，四曰著功勋，五曰表贤能；今更广以三科，用增前目，一曰叙沿革，二曰明罪恶，三曰旌怪异。”此中除通古今，叙沿革，旌怪异而外，其余五项，则皆申劝戒者。

五　史学之独立发展

（一四）前此所述，乃汉唐间史书演进为史学之大概情形。至若宋元明清时代，亦即北宋初至清乾嘉时，约八百年间，则史学之独立发展，更为显然而无可置疑之事实也。此时代中，纪传体一类之史书，愈演愈趋于庸俗；且书皆官撰，著作等于奉公，更不足以言进步。

《文史通义 · 书教下》云:“纪传行之千有余年,学者相承,殆如夏葛冬裘,渴饮饥食;…… 无别识心裁,可以传世行远之具。”略云:“前代未尝有此书,过荀悦《汉纪》远矣。”二曰质实。凡稍涉奇异之事,概弃不录,如“屈原怀沙自沈,四皓羽翼储君,严光加足帝腹,姚崇十事开说之类,皆削去不录,然后知公忠有余,盖陋子长之爱奇也”(马端临《文献通考 · 经籍考》二十)。至其著作宗旨,则完全以历史书为实践之政治学,或实践之伦理学;竭力阐明纲纪名分等义,以为天子统治天下之具,盖权威时代(age of authority)之代表作也。彼于《进〈资治通鉴〉表》中自谓其书足以“鉴前世之兴衰,考当今之得失,嘉善矜恶,取是舍非,足以懋稽古之盛德,跻无前之至治”。王磐《兴文署新刊资治通鉴序》亦云:“贤君令主,忠臣义士,志士仁人兴邦之远略,善俗之良规,匡君之格言,立朝之大节,叩函发帙,靡不具焉。”兴邦,善俗,匡君,立朝诸项,固全属政治学道德学范围内之事也。《通鉴》以后,有宋刘恕之《通鉴外纪》,宋李焘之《续资治通鉴长编》,宋金履祥之《通鉴前编》,元陈经之《通鉴续编》,清徐乾学之《资治通鉴后编》等等,皆依司马氏之著作为中心，而为增补接续之工作，无一能出司马氏之右者。故《通鉴》一书之出现，一方面固足以表示编年体史书之最高发展，另一方面则又表示此类史书濒于没落之一关头。总括言之，在前一时代，即汉唐时代，纪传编年两体，尚能“角力争先”（《史通·二体》篇）；在此一时代，即宋元明清时代，则情形大异。纪传体固陈陈相因，无复“传世行远之具”（《文史通义·书教下》），而编年体之发展，亦仅为绝后之空前。此所象征者果为何物？曰史学独立发展之时代，旧形式不足以应新要求之一事实是也。

（一五）故司马光《资治通鉴》以后，袁枢之《通鉴纪事本末》乃继之而兴。枢生于南宋高宗时，至孝宗时，初试礼部词赋第一，历官工部侍郎，曾知江陵府。其著书之动机，在病纪传与编年两体之失。纪传体之失，刘知幾于《史通·六家》曾有言曰：“凡此诸作（《史记》以下诸种纪传体史书）皆《史记》之流也。寻《史记》疆宇辽阔，年月遐长，而分以纪传，散以书表。每论家国一政，而胡越相悬，叙君臣一时，而参商是隔。此其为体之失者也。”编年体之失，杨万里于袁枢《通鉴纪事本末旧序》曾有言曰："予每读《通鉴》之书，见事之肇于斯，则惜其事之不竟于斯；盖事以年隔，年以事析，遭其初莫绎其终，揽其终莫志其初。……盖编年系日，其体然也。"《四库总目》则更综论两者之失曰："自汉以来，不过纪传编年两法，乘除互用。然纪传之法，或一事而复见数篇，宾主莫辨；编年之法，或一事而隔越数卷，首尾难稽。"袁枢欲纠此等之失，乃创通鉴纪事本末体。其书以事为叙述之中心，"每事各详起讫，自为标题；每篇各编年月，自为首尾"（《四库总目》）。与一事复见于数篇之纪传体异，与一事分记于数卷之编年体亦异。章实斋《文史通义·书教下》力言其优点曰："司马《通鉴》病纪传之分，而合之以编年；袁枢《纪事本末》又病《通鉴》之合，而分以事类。按本末之为体也，因事命篇，不为常格。非深知古今大体，天下经纶，不能网罗隐括，无遗无滥。文省于纪传，事豁于编年；决断去取，体圆用神，斯真《尚书》之遗也。……夫史为记事之书，事万变而不齐，史文屈曲而适如其事。则必因事命篇，不为常例所拘，而后能起讫自如，无一言或遗而或溢也。"《通鉴纪事本末》一书，一方面固足以纠纪传编年两体之失，而愈近于有科学意义之著作；另一方面则创立前此所无之新体，而为后世著者之楷模。因此之故，依本末体而兴之其他著作，乃陆续出现：如明陈邦瞻之《宋鉴纪事本末》，《元史纪事本末》，清李有棠之《辽史纪事本末》，《金史纪事本末》，谷应泰之《明史纪事本末》，杨采南之《三藩纪事本末》，高士奇之《左传纪事本末》，张春治之《西夏纪事本末》，其最著者。合袁枢之书，统称“九种纪事本末”，共六百五十八卷，诚大观也。

（一六）兴袁枢通鉴纪事本末同时代者，又有郑樵之《通志》。樵为南宋高宗时人，所修《通志》凡二百卷，可分为三类：一曰通史之部分，彼以为“自班固以断代为史，无复相因之义。……会通之道，自此失矣。……前王不列于后王，后事不接于前事”（《通志·总序》）。乃发奋著通史，成《通志》中之帝纪十八卷，皇后列传二卷，年谱四卷，列传一百二十五卷。二曰专史之部分，《通志》中有略五十卷，除校雠、图谱两略外，余四十八略，如天文，地理，礼，乐，职官，食货，艺文等概为专科史。三曰纯粹史学之部分，《校雠略》，《图谱略》

均属于此一部分者。《校雠略》中所涉极广，如论编次，则有《编次不明论》七篇,《编次必谨类例论》六篇,《编书不明分类论》三篇；论搜集材料，则有《求书遣使校书久任论》一篇,《求书之道有八论》九篇；论解释，则有《泛释无义论》一篇,《书有不应释论》三篇,《书有应释论》一篇。章实斋对郑氏极为推尊,《文史通义·申郑》篇云:“郑氏所振在鸿纲，……创例发凡，卓见绝识，有以追古作者之原，自具春秋家学耳。”通史，专史与纯粹史学三者，郑氏之书兼而有之；此在中国史学发展之过程中，为少见者。郑氏以前，有关于通史之书，如孔子之《春秋》，荀悦之《汉纪》，司马光之《通鉴》等是也；有关于专史之书，如杜佑之《通典》，门类虽多，然皆各科之专史也；有关于纯粹史学之书，如刘知畿之《史通》是也；有兼及通史与专史之书，如各种纪传体史书中之纪传等属通史，书志等属专史，故纪传体史书多为兼及通史与专史之书也。唯通史、专史与纯粹史学三者汇于一书之作，则未之见。郑氏以后，亦有关于通史之书，如元陈经之《通鉴续编》是也；亦有关于专史之书，如元马端临之《文献通考》是也；亦有关于纯粹史学之书，清章实斋之《文史通义》是也；亦有兼及通史与专史之书，各种纪传体史书是也；至于通史、专史与纯粹史学三者汇于一书之作，则未之见。郑氏之伟大，或亦由于其著作所涉范围较其他各家为广乎？

（一七）郑氏以后，各科专史汇于一书之作，以元马端临之《文献通考》为最著名。其书系有鉴于杜佑《通典》之缺而作。天宝以前，因杜书而加以补正，天宝以后至宋嘉定时事，则完全由自己续成。全书三百四十八卷，凡分二十四类。其中田赋，钱币，户口，征榷，市籴，土贡，国用各类，属于经济史之范围者；职役，选举，职官，王礼，帝系，封建各类，属于政治史之范围者；郊社，宗庙各类，属于宗教史之范围者；至若学校，则属教育史之范围；经籍，则属学术史之范围；乐则相当于音乐史，兵则相当于军事史，刑则相当于法律史，舆图则相当于沿革地理，四裔则相当于民族分志，象纬相当于天文史者，异物相当于博物史者。吾人今日而欲研究旧制，此书亦为最精详而可用者。其述事则利用经史；事实之意义，则取历代奏疏评议等以明之；其有不明者，则更附自己之意见，以为论断。清乾隆时，刊行杜佑之《通典》，郑樵之《通志》，马氏之《通考》，号曰《三通》。同时又敕修《续通典》一百五十卷,《续通志》六百四十卷,《续通考》二百五十卷，合以上得“六通”矣。唯所述仅止于明末，于是又敕修《清朝通典》一百卷,《清朝通志》一百二十六卷,《清朝通考》三百卷；合以上“六通”，号曰“九通”。唯所述亦止于乾隆时代。最后有刘锦藻《清朝续文献通考》四百卷之作，遂合成今日商务印书馆所印行之“十通”。吾述马端临之《文献通考》，而牵涉至此，盖欲以类相从，便读者览观也。

马书而后，专门学术史之作，则以黄宗羲之《明儒学案》为开山祖宗。《明儒学案》，凡六十二卷，其著作方法，每述一派学说，先作一简短之导言，即篇首之案语，以指出一派传授之大势；次录该派宗主之传略；再次录其重要著作之原文；然后述该派直接或间接之弟子，其叙述法亦如述其宗主之学说然。《明儒学案》之后，黄氏之弟子全祖望氏又续成《宋元学案》。《宋元学案》之著作方法，与《明儒学案》几乎完全相同。两书之长处，均在选录原文，极为精审，读者可借此以窥见各家学说之真精神。此外江藩之《汉学师承记》,《宋学渊源记》,

亦皆专门学术史也。

（一八）专门学术之外，则以章实斋之《文史通义》等为纯粹史学之巨擘焉。章实斋为清乾隆时人，为中国三大史学家之一。梁任公先生谓“自有史学以来，得三人焉：在唐则刘知畿，其学说在《史通》，在宋则郑樵，其学说在《通志·总序》及《艺文略》，《校雠略》，《图谱略》；在清则章学诚（实斋），其学在《文史通义》”（《中国历史研究法·过去之史学界》）。章氏之学说，博大精深，吾人且择其重要之点约略言之。一曰扩大史料之范围。自经史子集分为甲乙丙丁四部之后，学者只知史与史学有关，为必须研究之书籍；若经子集三者，则多认为与史学无关。章氏之见，与此不同，认经子集皆为史，意即皆为史料也。《文史通义·易教上》云：“六经皆史也，……皆先王之政典也。”《报孙渊如书》云：“承询《史籍考》事，取多用宏，包经而兼采子集；……愚之所见，以为盈天地间，凡涉著作之林，皆是史学。六经特圣人取此六种之史以垂训者耳。子集诸家，其源皆出于史。末流忘所自出，自生分别，故于天地之间，别为一种不可收拾，不可部次之物，不得不分四种门户矣。

此种议论，知骇俗下耳目，故不敢多言。”章氏所谓“凡涉著作之林，皆是史学”，意即一切著作之中，皆有史料；经子集中，史料尤多。近人于此，有辩正之者，其言曰：“先生的本意只是说一切著作都是史料，如此说法，便不难懂得了。先生的主张，以为六经皆先王的政典，因为是政典，故皆有史料的价值。故他《报孙渊如书》说‘六经特圣人取此六种之史以垂训者耳’。《史考释例》论六经的流别为史部所不得不收；其论《易》，只说盖史有律宪志，而卦气通于律宪，则易之支流通于史矣；次论子部通于史者十有八九；又次论集部诸书与史家互相出入。说十有八九，说互相出入，都可见先生并不真说一切子集皆史也，只是要说子部集部中有许多史料。此种区别似甚微细，而实甚重要，故我不得不为辩正。”（胡适著《章实斋年谱》页一百三十七至一百三十八）二曰说明史书之进化。自《尚书》以下，至《通鉴纪事本末》，其间各体史书演变之迹，一一指明，并显示其进化之趋势，而极力推尊《通鉴纪事本末》一书。《文史通义·书教下》云：“《尚书》一变而为左氏之《春秋》。《尚书》无成法，而左氏有定例，以纬经也。左氏一变而为史迁之纪传；左氏依年月，而迁书分类例，以搜逸也。迁书一变而为班氏之断代；迁书通变化，而班氏守绳墨，以示包括也。……迁史不可为定法，固书因迁之体，而为一成之义例，遂为后世不祧之宗焉。……自隋《经籍志》著录，以纪传为正史，以编年为古史，历代依之，遂分正附，莫不甲纪传而乙编年。……《通鉴》病纪传之分，而合之以编年；袁枢《纪事本末》又病《通鉴》之合，而分之以事类。按本末之为体也，因事命篇，不为常格：非深知古今大体，天下经纶，不能网罗隐括，无遗无滥。”三曰分别著作之性质。历来著作，有仅将材料编次成书者，有对材料加以考索者，有能发表独立之判断者；然三者实相伴而不可分。《答客问》云：“天下有比次之书，有独断之学，有考索之功，三者各有所主，而不能相通。……自汉以来，学者以其所得托之撰述以自表现者，盖不少矣。高明者多独断之学，沈潜者尚考索之功；天下之学术，不能不具此二途。譬犹日昼而月夜，暑夏而寒冬，以之推代而成岁功，则有相需之益；以之自封而立畛域，则有两伤之弊。……若夫比次之书，则掌故令史之孔目，簿书记注之成格，其原虽本柱下之所藏，其用则备稽检而供采择，初无他奇也。然而独断之学，非是不为取裁；考索之功，非是不为按据。如旨酒之不离乎糟粕，嘉禾之不离乎粪土。是以职官故事案牍图牒之书不可轻议也。”上述三者，与吾人今日之意见，几乎全同：吾人今日亦欲扩大史料范围，认一切著作或一切典籍，皆有史料价值；吾人今日亦于比较各体史书之后，发见纪事本末为近乎科学之史书；吾人今日亦认独断之学与考索之功彼此相需，且皆依比次之书以为原料。

兴言至此，最宜将浙东学派略为一谈。浙东学派之中，黄宗羲，章实斋等实为重要人物。今述黄章学说既竟，其他可略及之。章太炎《检论·清儒》篇对此一派有扼要之言曰：“自明末有浙东之学。万斯大、斯同兄弟皆鄞人，师事余姚黄宗羲，称说礼经，杂陈汉宋，而斯同独尊史法。其后余姚邵晋涵，鄞县全祖望继之，尤善言明末遗事。会稽章学诚为《文史》、《校雠》诸通义，以复歆固之学，其卓约近《史通》。”单就史学而论，黄宗羲，章实斋，固浙东学派中之健者：黄首创学术史，章之《文史通义》，则纯粹史学或史学方法论也。

（一九）纯粹史学或史学方法论，所以处理史事或史料者；至若见于记载的史料之或真或伪，或显或隐，则有赖乎考证焉。当章实斋纯粹史学出现之日，亦正考证风气甚盛之时；而经与史之考证，尤著成功。其在初期，以顾炎武，阎若璩，张尔岐，胡渭等为最著。章太炎《检论·清儒》篇云："昆山顾炎武为《唐韵正》,《易》、《诗本音》，古韵始明，其后言声音训诂者禀焉。太原阎若璩撰《古文尚书疏证》，定东晋晚书为伪作，学者宗之。济阳张尔岐始明《仪礼》；而德清胡渭审察地望，系之《禹贡》，皆为硕儒。然草创未精博，时杂糅元明言。"乾嘉以后，分两派发展：一曰吴派，以吴之惠栋为首脑；栋承其父士奇之学，专治经术，撰《九经古义》,《周易述》,《明堂大道录》,《古文尚书考》,《左传补注》等。其弟子江声，余萧客：声有《尚书集注音疏》，萧客有《古经解钩沈》。他如王鸣盛，钱大昕，汪中，刘台拱，李惇，贾田祖，江藩等都属此派。二曰皖派，以皖之戴震为首脑；震受学于婺源江永，治小学，礼经，算学，舆地等。震又常教于京师，任大椿，卢文弨，孔广森等皆问业。其弟子最知名者有金坛段玉裁，高邮王念孙。玉裁著《六书音韵表》，念孙著《广雅疏》。念孙之子引之，著《经传释词》。德清俞樾，瑞安孙诒让，皆承念孙之学。最近过去之章太炎，为俞樾弟子，更为此派之集大成者。此两派之大别，可得而言者，吴派主博闻，皖派主精当。章太炎云："成学著系统者自乾隆朝始：一自吴，一自皖南。吴始惠栋，其学好博而尊闻；皖南始江永戴震，综形名，任裁断，此其所异也。……凡戴学数家，分析条理，皆参密严瑮，上溯古义，而断以己之律令，与苏州诸家殊矣。"（同上）前言六经皆史，则考证经典，即无异于考证史料。

经典中固多史料，而史书中则史料尤多；故考证经典之风既开，影响乃及于史。梁任公先生《清代学术概论》有云："乾嘉以还，考证学统一学界；其洪波自不得不及于史。"史书之考证，凡可分为数项。泛考各史者，有王鸣盛之《十七史商榷》，钱大昕之《二十一史考异》，洪颐煊之《诸史考异》等。专考一史者，有惠栋之《后汉书补注》；梁玉绳之《史记志疑》，《汉书人表考》；钱大昕之《汉书辨疑》，《后汉书辨疑》，《续汉书辨疑》；梁章巨之《三国志考证》；周寿昌之《汉书注校补》,《后汉书注补正》; 杭世骏之《三国志旁证》等。补作表者，有顾栋高之《春秋大事表》；钱大昭之《后汉书补表》; 周嘉猷之《南北史表》,《三国纪年表》,《五代纪年表》；洪饴孙之《三国职官表》；钱大昕之《元史氏族表》；齐召南之《历代帝王年代》；林春溥之《竹柏山房十五种》等。补作志者，有洪亮吉之《三国疆域志》,《东晋疆域志》,《十六国疆域志》；洪尔孙之《补梁疆域志》；钱仪吉之《补晋兵志》：侯康之《补三国艺文志》；倪灿《宋史艺文志补》,《补辽金元三史艺文志》；顾怀三之《补五代史艺文志》；钱大昕之《补元史艺文志》; 郝懿行之《补宋书刑法志》、《食货志》等。考证古史者, 有陈逢衡之《逸周书补注》, 朱右曾之《周书集训校释》，丁宗洛之《逸周书管笺》，洪亮吉之《国语注疏》，顾广圻之《国语札记》、《战国策札记》，程恩泽之《国策地名考》，郝懿行之《山海经笺疏》，陈逢衡之《竹书纪年集证》等。凡此皆以考证经典之方法考证史书，从而整理史料者也，整理史料，为史学独立发展时期之特征，乃前此各期所无者。

六　创造中之新史学

（二〇）整理史料，乃创造新史学所不可忽视之基本工夫。直至最近，又有疑古辨伪之风，此殆可视为乾嘉以来考证风气之继续。疑古辨伪，旨在辨认伪书。伪书之始果在何时？胡应麟《四部正伪》有曰：“赝书之昉，于西京乎。六籍既焚，众言淆乱，悬疣附赘，假托实繁。……唐宋以还，赝书代作。”伪书既出，辨者随之。宋明以来，即已有辨伪工作：宋朱熹之《朱子语类》卷七十八至八十，即辨《书序》非孔子所作；明胡应麟之《诸子辨》，即专辨诸子中之伪书者；清姚际恒之《古今伪书考》，即辨经史子三类中之伪书者；崔述之《崔东壁遗书》，旨在考信，亦非与辨伪无关；康有为之《新学伪经考》，则于辨古文经，尤为独创；钱玄同《重印新学伪经考序》推尊作者之工绩，谓“惟宋之郑樵、朱熹，清之姚际恒、崔述，堪与抗衡耳”。现在顾颉刚等之《古史辨》，仍疑古辨伪之作也。

疑古辨伪之工作虽极重要，然偏于消极破坏者为多；若积极求真，则有赖于考古之工作。最近考古风气，亦已渐开：凡龟甲兽骨之研究，钟鼎彝器之研究，竹简木牍之研究等等相继发动；其成绩虽只限于若干文字之认明，然认文字而能明，斯可进而求得史料之真矣。最近过去，中央研究院历史语言研究所在河南安阳发掘古物，所得陶器，骨器，石器，及金属器物等最多。陶器中凡分鬲，甗，皿，盘，尊，爵，洗，壶，甑，釜，盆，碗，杯，罐，缸等；骨器中凡分武器如矛，用具如柶，饰器如笄等三类。石器中凡分用器如刀，斧，臼，磨石等；礼器如琮，璧等；武器如矛，镞等；乐器如磬等。金属器物中亦有用器如刀，斧，锛等；武器如矛，镞，戈等。其发表发掘之成绩者，则有《安阳发掘报告》。当国人进行考古之时，外人在华从事考古者，亦大有人在：如法人李桑，伯希和，沙畹，色伽兰等；德人格路维德，勒可克等；俄人鄂本笃，柯智录夫，鄂登堡等；日人大谷光瑞，鸟居龙藏，滨田耕作，八木奘三郎，原田淑人等；瑞人安徒生，斯文赫定等；及美人毕士博与匈牙利人斯坦因等，皆其最著者。

（二一）在疑古辨伪与考古求真之过程中，纯粹史学或史学方法论，亦有作者，如梁任公先生之《中国历史研究法》，及《中国历史研究法补编》等是也。先生之著作，有其重要之意义焉。一曰尊重历史自身之一切联系。彼于《中国历史研究法·史迹之论次》有曰："史之为态，若激水然，一波才动万波随；旧金山金门之午潮，与上海吴淞口之夜汐，鳞鳞相衔，如环无端也。其发动力有大小之分，则其荡激亦有远近之异。一个人方寸之动，而影响及于一国；一民族之举足左右，而影响及于世界者，比比然也。……人类动作，息息相通；如牵一发而动全身，如铜山西崩而洛钟东应。以我中国与彼西方文化中枢地相隔如彼其远，而彼我相互之影响犹且如此其巨（指汉永元二年连破北匈奴言）；则国内所起之事件，其首尾连属因果复杂之情形，盖可推矣。又可见不独一国之历史为整个的，即全人类之历史亦为整个的。吾中国人前此认禹域为天下，固褊陋；欧洲人认地中海而居之诸国为世界，其褊陋亦正与我同。实则世界历史者，合各部分文化国之人类所积共业而成也。"二曰主张史学著作之有机组织。历史自身既为"整个的"，则处置历史自身之史学著作，便不能将此整个的自身，寸寸断之，使各自成体，如是则有机组织尚焉。先生之言曰:“古代著述，大率短句单辞，不相联属。恰如下等动物，寸寸断之，各自成体。此固由当时文字传写困难，不得不然；抑亦思想简单，未加组织之明证也。此例求诸古籍中，如《老子》，如《论语》，如《易传》，如《墨经》，莫不皆然。其在史部，则《春秋》，《世本》，《竹书纪年》，皆其类也。厥后《左传》、《史记》等书，常有长篇记载，篇中首尾完具，视昔大进矣。然而以全书论，仍不过百数十篇之文章汇成一帙而已。《汉书》以下各史，踵效《史记》，《汉纪》、《通鉴》等踵效《左传》，或以一人为起讫，或以一事为起讫。要之不免将史迹纵切横断。纪事本末体稍矫此弊，然亦仅以一事为起讫，事与事之间不生联络。且社会活动状态，原不仅在区区数件大事，纪事纵极精善，犹是得肉遗血，得骨遗髓也。……人类活动状态，其性质为整个的，为成套的，为有生命的，为有机能的，为有方向的，故事实之叙录与考证，不过以树史之躯干，而非能尽史之神理。故为史者之驭事实也，横的方面最注意于背景与其交光，然后甲事实与乙事实之关系明，而整个的不至变为碎件。纵的方面最注意于其来因与其去果，然后前事实与后事实之关系明，而成套的不至变为断幅。”（同上，《史之改造》）三曰反对专为权力阶级而作之史书。故曰：“凡作一书，必先问吾书将以供何等人之读，然后其书乃如隰之有畔，不致泛滥失归，且能针对读者以发生相当之效果。例如《资治通鉴》，其著书本意，专以供帝王之读，故凡帝王应有之史的知识无不备，非彼所需，则从摈阙。此诚绝好之‘皇帝教科书’，而亦士大夫之怀才竭忠以事其上者所宜必读也。今日之史，其读者为何许人耶？既以民治主义立国，人人皆以国民一分子之资格立于国中，又以人类一分子之资格立于世界，共感于过去知识之万不可缺，然后史之需求生焉。质言之，今日所需之史，则‘国民资治通鉴’，或‘人类资治通鉴’而已。史家目的，在使国民察知现代之生活与过去、未来之生活息息相关，而因以增加生活之兴味。……夫如此，然后能将历史纳入现在生活界，使生密切之联锁；夫如此，则史之目的，乃为社会一般人而作，非为某权力阶级或某智识阶级而作，昭昭然也。”（同上，《史之意义及范围》）凡此三端，虽具卓见，然先生之史学，仍未足以常纯粹科学之称，盖纯粹科学所持之律令，彼为时代所限，均未能深信而不疑也。

（二二）今日正在创造中之新史学，果将如何，始可成为纯粹科学？欲答此问，莫如依科学方法，先为著一史书，以觇其科学精神之或多或少。倘科学精神贯于全书，则其书之著成，便无异于纯粹科学之完全实现。虽然史学方法论，或纯粹史学，固亦可以独成科者，因此之故，吾人不妨于创造新史学之过程中，略抒所见。窃以为新史学如欲成为纯粹科学，如其他之纯粹科学然，则下举数端为不可忽视者。

一曰确认史学之对象。凡科学各有其一定之对象，生物学之对象曰生物，矿物学之对象曰矿物；史学亦然，其一定之对象曰历史。历史为人类过去之活动，其里面则为生存竞争，亦即，国父中山先生所谓人与天争，人与人争之“争”也。春搜，夏苗，秋狝，冬狩，人与天争之表象也；布帛，菽粟，农矿，工商，则为人与天争之收成；古今之变，或理乱兴衰，人与人争之表象也；天下之文，或典章经制，则为人与人争之收成。（郑樵《通志·总序》云：“总诗书礼乐，而会于一手，然后能同天下之文；贯二帝三王，而通为一家，然后能极古今之变。”马端临《文献通考·总序》云：“理乱兴衰，不相因者也；典章经制，实相因者也。”）任公先生善言“整个的”，整个的者，人与人之争也；彼所举汉永元二年连破北匈奴之事实，即其一例。唯先生仅能触及此点，而未能确认此点；故于专史之对象，能明言之，而于通史之对象，则未能以一语道出。因此之故，乃不能抛弃习俗之见，仍不能不以通史为等于专史之和。彼欲指出中国通史之对象，曾于其《中国历史研究法》第一章，列举项目二十二，提出问题四十三。实则包括四十三问题之二十二项目，概属专史范围：自第一项至第五项，属于民族史之范围者；自第六项至第十一项，属于政治史之范围者；自第十二项至第十六项，属于经济史之范围者；自第十七项至第二十二项，属于文化史之范围者。积专史之和以为通史，无异于认通史之对象为不能独立自存。实则通史并非专史之和，其对象乃有客观独立之存在者。往日学者，不以客观独立存在之“历史”为“史学”之对象，常不惜寸寸断之，使各自成体；复于一切断体之中，摘取若干零件，嵌入自己之文章，以炫学问之博，以增文章之美；或又摘取若干零件，灌入他人之脑海，以博他人之信任，以坚自己之主张。凡此等等，皆与史学无关。史学非不重视功用者，特其重视之道，与此截然不同：首在阐明历史之自身，或历史发展之必然趋势。整个的历史发展之必然趋势，如果得到阐明，则其为用将较摘取零件之用高出万万。史学成立之经过，当在求真；其存在之理由，则为致用。求真以致用可，若欲致用而首先毁灭其真则大不可。

二曰稳定史学之地位。史学与其他科学相较，虽有不同，然非对立。不同者，谓史学与其他科学各有个性，未可强之使同；非对立云云，则谓史学与其他科学，同属科学范围，并非完全相反。任公先生之见，与此截然不同，认史学与自然科学相反者。彼于《中国历史研究法·史迹之论次》有曰："自然科学的事项，常为反复的，完成的；历史事项反是，常为一度的，不完成的。……故自然科学可以有万人公认之纯客观的因果律，而历史盖难言之矣。……自然科学的事项，常为普遍的；历史事项反是，常为个性的。……自然科学的事项，为超时空的；历史事项反是，恒以时间空间关系为主要基件。"

吾人于此，不敢苟同。一则自然科学云云，名称即已不妥。自然科学乃与精神科学对立之称，为立言遣词之方便计，偶尔用之，未为不可；然欲严格分划，几乎为不可能。例如心理学一科，往日为属于精神科学之范围者，今则公认为属于自然科学之范围矣；又如数学一科，往日为属于自然科学之范围者，今则虽以罗素氏（Russell）之高明，亦不能强将数学纳入精神科学或自然科学范围之内。故自然科学之名，纯依方便而设，非绝对正确而无误者。二则纵令其名可立，然科学的事项又非与任公先生所说完全相符：例如地质学之事项，地理学之事项，气象学之事项等，果皆为反复的乎？普遍的乎？超时空的乎？正未易言者。反之，历史学所处理之事项，如封建制度，如专制制度等，东方有，西方亦有；中国有，外国亦有；似又未可完全视为一度的，个性的，或恒以时间空间关系为主要基件的。退一步言，历史学所处理之事项，固绝对不能超越时空；但其他所谓自然科学之事项，亦均不能逃到时间空间关系之外者。爱恩斯坦氏（Einstein）之四度空间论，其明证也。准此而谈，史学固与其他各学有别，但不能谓与其他科学性质相反而不相侔；且其他科学之进步，亦正史学本身所依以为进者。

三曰改进史学之方法。往日学者认史学与其他科学为相反，故其他科学所创之方法，史学不能利用之。实则其他科学之新方法，无论为经济学或政治学所创获，抑物理学或化学所创获，皆直接或间接，部分或全体，可为史学用。任何科学方法之用，在分解该科对象之诸种因素，求出其间不可移易之关系或因果定律；史学方法之用，亦复如此，亦在分解其对象之诸种因素，求出其间不可移易之关系或因果定律。此理，任公先生亦不以为然。故曰："说明事实之原因结果，为史家诸种责任中之最重要者。近世治斯学之人，多能言之；虽然，兹事未易言也。宇宙之因果律，往往为复的而非单的，为曲的而非直的，为隔的伏的而非连的显的，故得其真也甚难。自然界之现象且有然，而历史现象其尤甚也。严格论之，若欲以因果律绝对的适用于历史，或竟为不可能的而且有害的亦未可知。何则？历史为人类心力所造成，而人类心力之动，乃极自由而不可方物。心力既非物理的或数理的因果律所能支配，则其所产生之历史，自亦与之同一性质。今必强悬此律以驭历史，其道将有时而穷，故曰不可能；不可能而强应用之，将反失历史之真相，故曰有害也。”（同上）此其为说，几视历史为神秘而不可方物。吾人于此，亦不敢苟同。因果定律，固不易求，但非不能求者。今之新物理学，对于此点，亦屡屡言之；自量子说（Quantum Theory）行，海森堡氏（Heisenberg）发表其“测不准原理”（Principle of uncertainty）以后，因果定律即为统计定律所代。但统计之事项愈多，因果之关系便愈确；终能使统计定律接近因果定律，或竟完全与因果定律相符。故布兰克氏（Planck）之言曰：“在原子活动之研究中，其最重要之进步，厥为于任何统计定律之下，觅出真正之因果定律焉。倘因果定律所摄诸事，未能分析至与因果定律完全相合，则研究之任务，为未完成。统计定律，固极切实用者，凡物理学，气象学，地理学，及社会科学等，皆不得不以此为达到因果定律之先行定律焉。凡此云云，亦适用于人类心理活动之研究。研究人类心理活动者，亦必以发见真正之因果关系为目标。反对此种见解者，恒以自由意志之存在为挡箭牌；实则人类之自由意志，固完全与真正之因果关系相符合者。人类心理之活动，尤其任何个人之意志活动，无时无刻不受其先存之心理状态，或外来之任何影响所决定者。此其为说之逼真，固无可以致疑之余地。故问题之焦点，不在有无此种决定之关系；而在有无其人，寻出此种决定之关系焉。”（大意，非直译原文；说见 *The universe in the light of modern physics* 页七九至九二）准此而谈，谓心，为不可方物云云，谓因果定律为有害于历史云云，非定论也。因此之故，吾人所谓新史学，须首先确认史学之对象为客观独立之存在。此存在之体，虽与自然科学所处理之对象有别，然非完全相反而不相侔。历史上，或人类过去活动之诸因素间，有因果定律可寻，盖以此也。

历史与人生

一　历史与人生

在我看来，人生与历史有相同之处，也有不同之处。什么是人生呢？最简单的回答是过日子。不管过得有意义，或者无意义，过得有价值，或者无价值，日子总要过下去的。那么，我们再问，什么叫做历史？历史，就是民族的生活。这也和人生一样，是过日子。中国有五千年历史，就是中国过了五千年的日子。这一点，它们是完全相同的。

谈到它们底相异之处，却也很多：

第一，人生是单一的，历史是复合的。人生的单一性，可以从时间方面看：我们人，从生到死的经历，一个人只能有一次，即使活到一百岁如马相伯先生，也只是一次。又人生底单一性，也可以从空间方面看：我们人底生活，实际上是各个个人底生活。各个个体之间，是有着一定距离的。然而，历史生活，则完全相反。从时间方面看，是许多绵延相接续的，不是像个人底生活那样，仅是单一的绵延一次。从空间方面看，历史生活是组合的，复杂的，不是像个人底生活那样，从生到死，仅是一条直线的发展。

第二点差异，是从第一点派生来的。人生是具体的，历史是抽象的。人生凭感觉便可经验到，而历史，或民族生活，只是根据个人生活创造出来的一个抽象的名词。关于这个名词的来历和含义，通常有两种说法：第一，历史或民族生活，必须通过个人的具体生活，换句话说，就是各个人具体生活的集合。第二，主张先有一种统一的生活形式，各个人底具体的生活内容只是分享这个东西。这一说，是一般观念论者底意见。叔本华所谓 Humanity 便是一例。中国所谓钟灵毓秀，也是说先有灵秀之气充沛于宇宙，谁能得着它，谁的智慧就高。依照他们底意思，当然是圣人贤人得到灵秀最多，小人、恶人，……是一点灵秀也没得到。他们都是把抽象的统一的概念摆在前面。但我看，是先有个人生活，再加上历史，或民族生活这个名词。民族生活是个人生活抽象的总和。

二　文学作品与历史书籍

人生的一个意义，是过日子，把人的生活表现出来，反映出来，就是文学。文学并不一定要用文字，用口也可以说出来的。但文学的表现，或反映生活，并不把全部的人生都表现或反映出来，必须有所选择。而选择的标准多在两个极端上：一是最好的生活，一是最坏的生活。因为这两者最能动人。古今中外的文学作品，都是如此的。譬如：近几年来，大家流离转徙，过着极度紧张的生活。朋友们一旦见面，总爱互相报告自己如何从敌人底魔掌里逃出来，如何遭遇了可怕的轰炸之类的事情；又如乡下老头子，总爱吹嘘他过去的光荣，以及他少年时候怎样和人打架打赢了之类的故事。这些就是表现，或反映生活之最好和最坏的例子，换言之，即表现或反映最能动人的部分。

历史也是这样的。历史家把历史，或民族生活写出来，或口述出来，也是择其最坏和最好的先写出。中国的历史家，就总爱夸张涿鹿之战，淝水之战，秦皇、汉武的功绩；或者，描画五胡乱华，和辽金元入侵的苦痛。如果从各阶级表现，各阶级也是夸张地表现自己的好处，掩饰地表现自己底坏处。统治阶级尤其如此。由这点看来，文学作品与历史书籍是相同的。

但它们也仍有不同的地方：第一，文学家写生活是凭感情：就是凭感情去知道现实，去了解现实。所以文学家必须参加各色各样的实际生活。所以，文学作品的内容，就是文学家自己的生活内容。历史家写历史，却不必如此。他可以搜集实际的材料，又可以从别人底作品里取得材料。就这点看，历史书的真实性，就远不及文学作品的真实性了。其次，文学作品的力量，是用形象去指导读者，俘虏读者的灵魂，使读者的情感起得共鸣，使读者直接从作品中获得爱与憎。历史书则与此相反；它是供给人以知识，不是动人以感情。中国底《二十五史》虽然大部是传记文学，但目的并不在使人感动，而是使人获得知识。

三　人生底究竟与历史的究竟

历史与人生，以及文学与史书，有相异处。然则人生底究竟是什么？历史的究竟又是什么呢？说到这里，它们却只有相同，没有不同的。换句话说，就是文学的究竟与历史的究竟完全一样。不仅文学作品和历史书籍如此，其他任何学问，也莫不如此。

人生底究竟，是人生的理想，是要改造人生。历史的究竟，是历史底理想，是要改造历史。

什么叫人生底改造呢？这可以两方面说：一面是消极的：就是改正错误，弥补缺陷；一面是积极的：就是实现理想。二者虽可合而为一，但从消极过渡到积极，确有一段距离。我们必然循着必然的道路，走过这段距离，才能进入理想的境界。所以，从消极到积极，有三个阶段。我们举一个实例来说：一个高中毕业生，要进大学还没有能够进去，这是他生活上的缺陷，他苦恼，这是第一个阶段。但苦恼不能长久，他必须用理智寻找一条必然的出路，就是说，他准备考试，参加大学底入学考试。当他循着这条必然的路前进的时候，苦恼便逐渐减少了，这是第二阶段。如果理想达到，学校考取了，他底苦恼便得到了解脱，获得了快乐，一时达到了绝对的境界，达到快乐是人生的正面。

改造民族生活，也分两方面：消极的，弥补缺陷，改正错误；积极的，也是实现理想。用辛亥革命作例：消极的在推翻专制政治，积极的在实现民主政治。历史的现实也和人生的现实一样，如果存在着缺陷，存在着错误，总是使人苦恼的。假若在苦恼中找出了一条必然的路，循着这条路向前迈进，就好像宗教信仰一样，精神上的痛苦便逐渐减少了。犹之在专制政治底重压之下，找着了革命的这条必然的道路，循着革命的道路前进一样。若是一旦专制政治推翻了，民主政治实现了，苦恼便也解脱了，于是也就达到了一次历史上绝对境界：快乐的境界。

人生的究竟与历史底究竟是完全相同的，都在改正错误，实现理想。但我们必须申明：人生底错误和历史底错误，是常常发生的。旧的错误改正了，又来新的错误。不断地错误，我们要不断地改正。错误常有，改正错误的必然的路也常有。痛苦常有，快乐也常有，我想每个人都有这种经验。只有某些机械论者，才会说：错误只须改正一次，便不会再有错误，也再不必改正了。

人生的态度可以分为三型：一型是乐观的人生，永远相信悲哀只是暂短的，终于要达到极乐的境界，绝对的境界；一型是悲观的，以为人生只是苦恼，无穷的苦恼；一型是信仰的，虽在苦恼着，却在奋斗着。找出了必然的道路，依循此道路而奋斗的时候，苦恼便逐渐减少。这一型，恰在乐观人生与悲观人生之间；以识得必然而固执之。为改正错误，实现理想之要着。

说到这里，大家或者要问：我们凭了什么知道人生底，或历史底错误呢？

我回答：只有“见多识广”这一句话。我们只有从宽阔的，深刻的生活实践中，去体验、比较，才能分辨什么是对的，什么是错的。乡下老太婆没有见过大脚女人的方便，总以为自己的小脚又美又好，因为她无从比较。错误不是全凭想像所能知道的。因此，文学家创造文学作品，必须从复杂而多彩的现实生活中去生活过来。同样的理由，历史家也必须从研究历史的实践中，也就是把握时间里（从古到今）到空间里（世界各国）

底种种真实材料，加以纵横诸方面的比较，才能发见历史底错误，才能改正错误。因之我说：治历史与写文章，是采不得关门政策的，换言之，非持博大的态度不可。

四　文学家与历史家

由上段看来，历史学家与文学作家是没有分别了。但是这两者都必须再前进一步。文学家要从感情走进知识之路，也就是走进历史里去，历史学家要从知识走到感情之路，也就是走到文学里去。情知合一。否则历史家只知道历史发展必然之趋势，而不亲身去推动；文学家要亲身去推动，而又昧于历史发展必然之趋势，这便是两有所失。史学家不免旁观，但万万麻木不得；文学家自然热烈，但万万糊涂不得。史学家有深切著明之知，也必须有诚敬笃实之行；文学家有诚敬笃实之行，也必须有深切著明之知。

研究历史的参考书籍

近代中国思想学说史	侯外庐　著
中国政治思想史	吕振羽　著
简明中国通史（上）	吕振羽　著
中国史纲（第一、第二卷）	翦伯赞　著
中国怎样降到半殖民地	钱亦石　著
中国政治史讲话	钱亦石　著
中国外交史	钱亦石　著
帝国主义与中国政治	胡　绳　著
辛亥革命与袁世凯	黎乃涵　著
辛亥革命回忆录	张奚若　述 丕　强　笔录
中国启蒙运动史	何干之　著
历史的镜子	吴　晗　著

三联经典文库第二辑简目

《游击战教程》　明凡 / 著

《游击战术纲要》　陶剑青 / 编著

《汪精卫卖国的理论与实践》　钱俊瑞 / 著

《抗战以来》　韬奋 / 著

《陕行纪实》　楚云 / 著

《随军散记》　沙汀 / 著

《被日寇囚系半载记》　王研石 / 著

《倭营历险记》　房沧浪 / 著

《活跃的新西北》　田影 / 编著

《保卫华北的游击战》　刘清扬　陈北鸥等 / 著

《徐州突围》　《徐州突围》编委会 / 编

《沦亡的平津》　长江　小方等 / 著

《淞沪火线上》　胡兰畦等 / 著

《瞻回东战场》　长江　罗平 / 著

《东线的撤退》　胡兰畦等 / 著

《抗战中的西北》　徐盈 / 著

《鲁闽风云》　徐盈等 / 著

《西线生活》　西北战地服务团集体创作

《中国解放区见闻》　［美］福尔曼著 / 朱进译

《全面抗战论》　潘汉年 / 著

《日本的间谍》　范士白自述 / 尊闻译

《日本大陆政策的真面目》　国难资料编辑社 / 编

《民众动员论》　李公朴 / 著

《中国外交史》　钱亦石 / 编著

《太平洋军事地理》　蒋震华 / 著

《世界经济地理讲话》　思慕 / 著

《列强军力论》　［德］马克斯·威纳尔著 / 宾符　仲持　梅益等译

《近代国际关系史》　张铁生 / 著

《太平洋现势手册》　沈志远　石啸冲 / 编著

《近代世界政治史》　钱亦石 / 著

《从战争到和平——一九四五年的世界政治》　乔木 / 著

《战后日本问题》　思慕 / 著

《最近一年间的国际动态（1946.7–1947.6）》　《东北日报》社 / 编

《论政党》　翟放 / 著

《法与宪法》　韩幽桐 / 编著

《中华民国宪法刍议》　罗家衡 / 著

《民主·宪法·人权——作之民》　费孝通 / 著

《宪法论初步》　潘念之 / 著

《对反民主的抗争》　韬奋 / 著

《农村改进的理论与实际》　江恒源 / 著

《上海产业与上海职工》(上下)　朱邦兴　胡林阁　徐声 / 合编

《陶行知教育论文选辑》　陶行知著 / 方与严编

《中国通货膨胀论》　杨培新 / 著

《中国及其未完成的革命》　H·普拉特著 / 蒋天佐译

《中国的建设问题与人的训练》　卢作孚 / 著

《论中国特殊性及其他》　艾思奇 / 著

《中国经济问题讲话》　钱俊瑞　徐雪寒　王渔邨　姜君辰　骆耕漠 / 合著

《中国经济的道路》　许涤新 / 著

《中国财政之病态及其批判》　孙怀仁 / 著

《官僚资本论》　许涤新 / 著

《五四运动之史的评价》　陈端志 / 著

《中国通史简编》(上下)　中国历史研究会　范文澜 / 主编

《论文学的工农兵方向——读〈在延安文艺座谈会上的讲话〉》　雪苇 / 著

《中国近代史(上编　第一分册)》　武波 / 编著

《文学百题》　傅东华 / 编

《中国史学之进化》　周谷城 / 著

《论民族形式问题》　胡风 / 著

《论批评》　荃麟等 / 著

《中国史纲》(第一卷上下、第二卷上下)　翦伯赞 / 著

《近代中国思想学说史》(1-4)　侯外庐 / 著

《中国政治思想史》(上下)　　吕振羽 / 著

《中国哲学史纲要》　　向林冰 / 著

《中国政治史讲话》　　钱亦石 / 著

《中国社会经济史纲》　　王渔邨 / 著

《新财政学大纲》　　千家驹 / 著

《太平天国革命运动论文集——金田起义百周年纪念》

华北大学历史研究室 / 编

《理性与自由——文化思想批评论文集》　　胡绳 / 著

《战斗者的诗人》　　黄药眠 / 著

《国语文法》　　曹朴 / 著

《教育哲学》　　张栗原 / 著

《妇女问题讲话》　　杜君慧 / 著

《婚姻 · 子女 · 继承》　　沙千里 / 著

《性教育新论》　　布士克　雅各生合著 / 董秋斯译

《狱中杂感》　　杜重远 / 著

《七人之狱》　　沙千里 / 著

《爱迪生传》　　伍况甫 / 译

《歌德自传》(上下)　　歌德著 / 思慕译

《尼赫鲁自传》　　[印度] 尼赫鲁著 / 毕来译

《列宁传》　　[苏] 凯尔任采夫著 / 企程　朔望译

《罗斯福总统传》　　C. Mackenzie 著 / 张尚之译

《托尔斯泰传》(1–3)　　[英] 阿尔麦 · 莫德著 / 徐迟译

《革命文豪高尔基》　［美］亚历山大·康恩著 / 韬奋编译

《鲁迅纪念特辑》　新中国文艺社 / 编

《回忆鲁迅先生》　萧红 / 著

《人民文豪鲁迅》　平心 / 著

《亡友鲁迅印象记》　许寿裳 / 著

《鲁迅思想研究》　何干之 / 著

《鲁迅研究》　夏征农 / 编

《过来的时代：鲁迅论及其他》　雪峰 / 著

《电影戏剧表演术》　洪深 / 著

《日常心理漫谈》　［美］约瑟夫·查斯特罗著 / 曾宝葹译

《心理常识漫话》　朱智贤　杨云美 / 著

《读书的方法与经验》　王任叔 / 著

《美国黑人生活纪实》　［美］加德维尔　斯坦倍克著 / 董秋斯译

《初访美国》　费孝通 / 著

《事业与成功》　［美］马尔腾著 / 江原放译

《萍踪寄语（初集）》　韬奋 / 著

《一生的幸福前途——〈生活周刊〉信箱选集》　生活书店 / 编选

《深刻的印象》　生活周刊社 / 编

《海外的感受》　生活书店编译所 / 编

ISBN 978-7-108-04594-2

9 787108 045942 >

定价：19.00元